L'histoire de Sam
ou l'avenir d'une émotion

Jean-Marc Parisis

L'histoire de Sam
ou l'avenir d'une émotion

roman

Flammarion

© Flammarion, 2020.
ISBN : 978-2-0815-0509-4

« Vivre, c'est s'obstiner à achever un souvenir. »

RENÉ CHAR, *La Parole en archipel*

J'aimais cette parenthèse qui s'ouvrait après les conseils de classe de juin et se refermait avec les départs en vacances en juillet. Aux approches de l'été, la dissipation et l'indolence s'abattaient sur les bâtiments en « U » du vieux collège en pierre jaune de Froncy. Cette année-là, toute la bande passait haut la main en troisième, les jeux étaient faits, quoi qu'il arrive le verdict des professeurs ne changerait pas. On suivait encore en touristes les cours principaux (mathématiques, français, langues vivantes), les autres sautaient allègrement, en toute impunité. La fumisterie ambiante contaminait les profs, qui relâchaient leur attention, osaient des jeux de mots lamentables et s'en faisaient pardonner en oubliant de signaler les tire-au-flanc au secrétariat. La prof d'anglais, dont les jupes avaient pas mal raccourci depuis les vacances de Pâques, souffrait de son propre aveu de « pannes d'oreiller ». Elle arrivait en retard, et toujours dans la voiture du prof de maths, qui prétextait pour sa part un « coup de pompe saisonnier ».

Pour les copains, cette parenthèse qui s'ouvrait à la mi-juin n'était qu'un agréable prélude aux grandes vacances d'été et à leurs mirifiques activités balnéaires, exotiques : stages de voile, parapente, canyoning. Pour moi, c'était l'entrée dans un sas enchanté, où j'allais profiter pendant quinze ou vingt jours des douces puissances de Froncy avant la séparation de la bande et le rituel départ à la campagne, en Dordogne, chez mes grands-parents paternels.

La petite ville ne me paraissait jamais aussi attachante, affectueuse, que dans cette lumière d'été baignant son vieux bourg, ses pavillons coquets, ses villas de meulière, ses maisons en briquettes de style américain. Lumière qui semblait monter du sol, des longues avenues, des placettes en étoile, des courbes lentes aux lisières du Bois Murat. Lumière ascensionnelle, célébrante, qui ravivait, découpait les surfaces, grilles, façades, toitures, enseignes, rendant à chaque élément du décor son mystère, son apport singulier à l'harmonie générale. En prenant si bien le soleil, Froncy nous en protégeait, il ne faisait jamais chaud, il faisait toujours bon dans cette serre à ciel ouvert, embaumée par le gazon coupé, les roses, les anémones, les capucines, les campanules, les troènes, les orangers du Mexique. Ces parfums nous imprégnaient, nous euphorisaient, de la tête aux pieds. Les copains et moi, nous sentions toujours bon, même pas lavés. Toujours un brin d'herbe, une feuille, un pétale dans le cou, les cheveux, les chaussures. Les weekends, les amateurs de barbecue s'envoyaient des signaux de fumée au-dessus des haies. Les tondeuses débattaient bruyamment dans les agoras gazonnées. Alanguies sur la rampe des garages, les voitures attendaient leur shampoing hebdomadaire, la caresse des éponges mousseuses sur leurs capots, le jet qui ferait rutiler leurs chromes. Dans les caniveaux ruisselait une eau si claire qu'on y buvait à la paille.

— Sam, descends ! On va faire un foot !

C'était l'appel des copains à vélo devant la maison collée au garage automobile de mon père, dans la longue avenue de Senlisse. On m'appelait Sam parce qu'il y avait déjà un Pierre dans la bande. Après avoir enrôlé d'autres joueurs en chemin, ballon coincé dans le guidon de course, maillots aux couleurs de l'Olympique de Marseille, du Real Madrid ou de Manchester United, on arrivait en peloton au stade du Donjon. Stade, c'était beaucoup dire pour ce terrain pelé, miné par les taupes, aux filets de buts troués, et le donjon ressemblait plutôt à un colombier. Mais l'endroit avoisinait un cadre illustre à la solennité tranquille, le parc et les douves du château de Froncy dont les premiers murs remontaient à la Renaissance.

Selon le nombre de joueurs, les équipes se formaient pour un match sur tout le terrain ou pour ce que nous appelions « un suisse », une partie se déroulant sur un seul but avec un goal neutre.

Ce jour-là, Éric avait envoyé le ballon au-dessus du mur en moellon, dans le parc. Et comme souvent il rechignait à aller le récupérer. Il était cuit, bouilli, il avait des crampes, la cheville ou le genou en compote, les excuses habituelles, assorties d'insultes quand on le pressait trop.

— Sam, tu me gaves. Après tout, c'est ton ballon. Alors va le chercher. Ou te faire foutre.

On s'était empoignés, refilé quelques gnons et coups de pied hasardeux, pour la frime. J'avais vite jeté l'éponge. Pas le cœur à me battre avec un copain la veille de quitter la bande et Froncy. L'accrochage avait sifflé la fin du match, le dernier avant la grande dispersion de juillet. Pierre, Jérôme et Laurent m'avaient souhaité de bonnes vacances en grimpant sur leur vélo. Éric m'avait tendu sa main, que j'avais serrée sans rancune. On ne se reverrait pas avant septembre, la traversée

d'un long tunnel de deux mois, où il me semblait toujours que j'allais les perdre. Que cette
séparation les attriste aurait soulagé ma peine
et mon inquiétude. J'en doutais à les voir
pédaler vers les canettes de Coca-Cola qui les
attendaient au réfrigérateur.

J'ai poussé la grille du parc. Il était six heures du soir, quatre heures au soleil. Je voulais juste récupérer mon ballon. Il avait atterri dans cette zone enclose de marronniers que nous appelions « la clairière », roulé près d'un sac de toile blanche, qui devait appartenir à la fille qui lisait là, assise en tailleur sur la pelouse grêlée de fumeterres et de boutons d'or. Elle portait une robe à manches courtes bleu clair. Ses cheveux tombaient en lourdes mèches cuivrées sur ses épaules. Ses bras, ses jambes découvertes au-dessus du genou étaient d'un blanc unique, aveuglant. Un peintre se serait damné pour trouver ce blanc vivant. Je me suis approché. Elle a posé son livre, aperçu le ballon, s'est levée d'un bond et l'a fait rouler du pied dans ma direction. Une belle passe. Je n'avais jamais vu

15

un tel visage. Pas un visage, mais cent visages. Une mutinerie de traits. Un feu blanc où brillaient deux yeux pers, du gris, du bleu, du mauve. Je me suis laissé tomber sur la pierre du bassin asséché depuis des lustres.

Elle s'appelait Deirdre. Nous avions le même âge, quatorze ans. Elle parlait français, avec un fort accent anglais, mais elle le parlait très correctement et le comprenait encore mieux. Elle habitait au pays de Galles. Pays qui ne m'évoquait qu'une équipe de rugby, un sport assez fruste où l'on avait le droit de prendre le ballon avec les mains. Elle effectuait un séjour linguistique à Froncy et logeait avec sa classe dans l'ancien monastère de La Roche, derrière le potager du château.

— Je repars dans dix jours. Dix jours pour me promener et manger des gaufres avec toi. Ici, les surveillantes sont plus sympas qu'à Carlywin, elles nous laissent sortir seules.

Des gaufres, j'en mangeais rarement, il n'y avait pas de marchand de gaufres à Froncy. Mais cet accord immédiat, cette confiance spontanée m'avaient ravi, sans vraiment m'étonner. Remis du choc de son apparition, il me semblait désormais nous connaître depuis longtemps, elle et moi. La tristesse de quitter les copains s'était dissipée, c'était Deirdre désormais dont je ne pourrais plus me séparer. Mon départ le lendemain pour la Dordogne tournait au supplice. Elle s'aperçut de mon trouble, je lui expliquai la situation. Sans ciller, elle me mit le ballon dans les mains, glissa le livre dans son sac, et proposa de nous retrouver dans la soirée, vers neuf heures, dans la clairière.

À la maison, pendant le dîner, je tentai de convaincre mes parents de repousser mon départ d'une dizaine de jours. Après tout, les grands-parents ne m'attendaient pas spécialement, pour m'avoir souvent, trop souvent, sur le dos, à Pâques, la Toussaint, à Noël, en été, j'étais tout le temps fourré chez eux, je les empêchais de profiter de leur retraite, surtout cette année, deux mois en Dordogne, c'était exceptionnellement long. D'habitude je partais en août avec mes parents, visiter la Bretagne, le Pays basque ou la Provence, mais cet été les travaux de réfection du garage, dont ma mère s'occupait du service comptabilité, les retenaient à Froncy. Après avoir vérifié que mon billet n'était pas remboursable, mon père avait clos le débat : ma mère me déposerait comme prévu le lendemain matin à la gare de Froncy, je prendrais le train pour Paris, le métro jusqu'à la gare d'Austerlitz et le Capitole de 10 h 27, direction Brive. Tout juste consentaient-ils à ce que je revienne en août à Froncy. Qu'aurais-je fait en août dans la petite ville ? Les copains seraient absents. Et Deirdre serait repartie. Deirdre dont je n'avais pas dit un mot.

J'ai passé un peigne dans mes cheveux, enfilé un jean et un sweat-shirt tirés de la valise des vacances et suis ressorti en douce de la maison.

Le jour tombait sur la clairière. Elle m'attendait assise sur la pierre du bassin, ses cheveux ramenés en chignon, un cardigan gris passé sur sa robe. D'un même pas, en silence, nous avons traversé le parc en direction du château. J'ignore quelle main a trouvé l'autre, mais ce fut sans gêne, ni dessein. Ses formes bombaient légèrement le cardigan sans troubler la plénitude qui m'habitait. Pour la première fois, un être marchait à côté de moi, qui révoquait mon perpétuel sentiment d'étrangeté, cette sensation d'exil que j'éprouvais partout, même en présence des parents et des copains, surtout avec eux. Deirdre était là. J'avais trouvé un pays.

Pendant notre tour des douves, je lui racontai une histoire colportée par les vieux sages du marché de Froncy. Pendant la Grande Guerre, les anciens propriétaires du château avaient invité à dîner un célèbre magicien américain. Au dessert, la maîtresse de maison s'était désolée de ne pouvoir servir du sucre avec le café, à cause de la pénurie de denrées. Le magicien avait alors lancé sa main en l'air comme pour attraper une mouche. Quand il l'avait rouverte au-dessus des tasses, du sucre avait coulé de sa paume comme la poudre d'un sablier. Une convive s'était évanouie, les autres avaient applaudi, car en temps de guerre beaucoup voulaient croire aux miracles. Le lendemain, le magicien s'était rendu au monastère, celui-là même où logeait Deirdre avec sa classe. Ému par le sort des orphelins et des blessés, le magicien avait fait apparaître deux nuages blancs au-dessus des têtes puis les avait crevés de la pointe de sa canne. Nouveau miracle, il neigeait du sucre et du sel dans le réfectoire. Les religieuses avaient pu conserver confitures et jambons, nourrir les enfants et retaper les soldats. Deirdre avait lâché ma main pour applaudir le magicien ou les sauts des carpes dans les douves.

— Chez moi, à Carlywin, il y a aussi un château avec des douves. Mais il est plus ancien et elles sont remplies d'herbes et de fleurs sauvages.

Soudain les lampadaires de la promenade ont grésillé, leurs feux orange ont crevé le ciel violet. J'ai regardé ma montre, le parc allait fermer, il fallait faire demi-tour, repasser la grille pour récupérer mon vélo dans la clairière. Deux heures plus tôt, empruntant ce même chemin avec Deirdre, il m'avait semblé que nous n'en reviendrions pas, que nous partions pour une contrée introuvable sur les cartes, un pays suspendu entre ciel et terre, dont les lois tiendraient dans tout ce que nous avions à nous dire et à éprouver ensemble. Le gravier crissait pareillement sous nos pas, les buissons d'aubépine exhalaient le même parfum térébrant, mais c'était déjà la fin du voyage, le retour au présent, au calendrier fatidique, à la nuit qui s'était emparée du parc.

La clairière baignait désormais dans le halo bleu de ce que nous appelions les copains et moi « la chouette », un projecteur fixé à la branche d'un arbre. Nous nous sommes assis côte à côte sur la pierre du bassin. Deirdre a posé la tête sur mon épaule. J'ai fermé les yeux. Le sommeil nous a blottis l'un contre l'autre.

Une voix du côté du potager nous a réveillés. On appelait Deirdre, on la cherchait dans le parc, en anglais. Elle a sauté à pieds joints dans l'herbe.

— C'est Gladys, une surveillante de la classe. Elle n'est pas méchante, juste inquiète.

Elle a sorti un petit papier de la poche de son cardigan et me l'a tendu.

— C'est mon adresse au pays de Galles. Carlywin se trouve sur une île. Il faut traverser un grand pont de fer au-dessus d'un fleuve de mer.

J'ai glissé le papier dans ma poche.

Elle s'est retrouvée contre moi. J'ai plongé dans son cou, sa nuque, ses mèches de cheveux tombées du chignon, la serrant si fort que je percevais les battements de son cœur, le grondement de son sang, ses frissons, sa vie secrète de fille de quatorze ans. J'en vins à redouter ce phénomène honteux, irrépressible, qui me faisait décliner les slows dans les boums. Mais non, rien de ce côté-là. Ce que Deirdre m'inspirait, me transfusait, c'était tout le contraire d'une pulsion, d'un désir, plutôt une forme d'exaucement, une paix, une sortie du temps. J'avais quitté mon âge, dépassé mon histoire, le peu que j'avais vécu, appris, désiré, j'avais mille ans.

La voix, les appels se rapprochaient. Un sanglot m'a terrassé. Jamais je n'avais ressenti un tel chagrin, un tel sentiment d'injustice, d'inanité de tout. Elle a quitté mes bras, sorti un mouchoir, tamponné mes larmes.

— Ne pleure plus jamais. Ce n'est pas mon dernier sourire. Écris-moi. Garde-moi. On se reverra. Promis ?

— Promis.

Elle s'est faufilée dans une trouée de la clairière. Des chuchotis, un rire étouffé (elle avait dit vrai, la surveillante n'était pas méchante), le faisceau d'une lampe de poche, puis plus rien. Je me suis rassis sur la pierre du bassin et j'ai déplié le petit papier. Deirdre Tefoe, Windy Lane 3, PO, Carlywin, Wales.

Un moment, j'eus l'idée de dormir dans le parc, d'aller la retrouver au matin au monastère où elle séjournait avec sa classe. J'y renonçai de peur de la compromettre.

Ce qui suivit paraîtra burlesque, j'y vis plutôt le signe que les choses se compliquaient dès que Deirdre me quittait. Le parc avait fermé, impossible de passer mon vélo au-dessus de la grille, j'ai dû dévisser les écrous papillons, glisser les roues entre les barreaux, escalader la grille avec le cadre passé sur l'épaule, puis, parvenu au sommet, le jeter de l'autre côté, en évitant de m'empaler sur les piques. Rentré à la maison vers minuit, hagard et maculé de cambouis, j'essuyai une sérieuse engueulade des parents, plus disposés que jamais à me voir débarrasser le plancher.

Cette nuit-là, dans ma chambre, prostré à mon bureau, lourd des larmes que je retenais par loyauté envers Deirdre (« *ne pleure plus jamais* »), j'ai sorti d'un tiroir fermé à clef un cahier à spirale à couverture outremer. J'y tenais par intermittence une sorte de journal sur les sujets les plus divers : mes observations au télescope du ciel de Froncy, des critiques de films vus à la télé, les frasques d'Éric Cantona à Manchester, des verbatim des parents ou des copains, mes herborisations au Bois Murat, les émois que me procuraient les filles en jean moulant au collège, des réflexions passagères, contingentes, climatiques, tout et rien dans ce Cahier Bleu, insoupçonnable au regard de ma réputation de grosse tête, de « matheux » allergique à la lecture et légèrement asexué – si les copains sollicitaient souvent mes talents en algèbre et en géométrie, ils me conviaient rarement aux débats morphologiques à propos de telle ou telle fille, encore moins à supputer sur les chances d'échanger avec elle un baiser « langué ».

J'avais donc ouvert le Cahier Bleu, tenté de décrire le visage de Deirdre, pour le rapprocher en pensées, alléger ma peine, sans doute aussi parce qu'il n'y avait rien d'autre à faire. Après quelques mots, le stylo avait glissé de mes doigts. J'avais dormi un moment avec elle dans la clairière, je la retrouverais peut-être dans le sommeil, où je sombrai tout habillé en travers de mon lit, le nez dans le sweat-shirt où elle avait posé sa tête.

Des rêves ricanants avaient aiguisé ma révolte. Au petit matin, je me suis enfermé à clef dans ma chambre, refusant d'en sortir, malgré les injonctions de ma mère. À bout d'arguments, elle est allée prévenir mon père au garage.

Il tambourinait à la porte.

— Qu'est-ce que c'est que ce cinéma ?

J'ai répondu sous la dictée d'un cauchemar de la nuit.

— Le père d'Éric a un cancer. Il est à l'hôpital. Il va devoir fermer son hôtel à Froncy. Je dois rester avec Éric pour le soutenir.

— Tu débloques complètement, mon garçon. Monsieur Deschamps vient de récupérer sa voiture à l'atelier. Il pète le feu. Ouvre ou j'enfonce la porte !

J'ai ouvert, évité le regard de ma mère, mortifiée par mon mensonge (on n'inventait pas des maladies à des gens bien portants). À aucun moment, évoquer Deirdre ne m'avait effleuré. Deirdre ne regardait que moi.

Me barricader n'avait pas été totalement vain. Il était trop tard pour prendre le train à la gare de Froncy. Mon père m'a poussé à l'arrière de sa puissante Renault. Cinquante kilomètres, dont quarante de route nationale, nous séparaient de Paris, il se faisait fort de rattraper le temps perdu, d'autant que la radio annonçait une « circulation fluide aux abords de la capitale ». L'aiguille du compteur avait dépassé le 170 sur le périphérique. J'espérais un contrôle de police, un coulage de bielle, un carambolage, mais l'as du volant s'est garé comme une fleur sur le parking de la gare d'Austerlitz. Vaincu, j'ai ouvert le coffre, empoigné ma valise, marché vers la grande horloge qui marquait à peine dix heures.

Les gros yeux vitreux du Capitole me narguaient au début du quai. Mon père s'est brièvement entretenu avec un contrôleur. Au lieu de m'attribuer ma place réservée, l'agent SNCF m'a ouvert un compartiment vide, voisin de celui qu'il occupait avec ses collègues. J'y suis entré comme dans une cellule de prison. Le signal du départ a retenti. Mon père m'a adressé un pauvre sourire, que je ne lui ai pas rendu. Puis, comme toujours, j'eus l'impression que le quai s'éloignait et que le train restait sur place.

Ce sentiment de malheur mêlé d'absurdité était nouveau pour moi qui n'avais connu que des souffrances mineures – la plus cruelle restait la mort de vieillesse de notre labrador Lustucru. J'ignorais ce qu'était le courage, vertu inutile à mon existence foncièrement heureuse, protégée, de garçon de Froncy. Mais en s'étant montrée la plus conséquente, la plus résolue, la plus confiante au moment de se quitter dans la clairière, Deirdre m'avait donné l'exemple. D'où lui venait une telle force, je l'ignorais, mais j'allais m'en inspirer. J'avais déjà vaincu les larmes. Restait à résister à tout ce temps ennemi, ce temps abyssal, ce temps-néant qui s'ouvrait devant moi sans elle. Allongé sur la banquette du compartiment, les pieds sur la vitre, accablé d'être séparé de Deirdre pour longtemps et d'aussi loin que le pays de Galles, j'étais aussi disposé au courage, affermi, grandi de vivre une telle histoire. Cette rencontre avait un sens, relevait du destin – mot qu'on n'entendait guère à Froncy, où la douceur de vivre s'appariait mal au vocabulaire tragique. « *Ce n'est pas mon dernier sourire. Garde-moi.* » L'histoire ne faisait que commencer. Elle et moi, on se ressemblait pour éprouver l'injustice et la combattre par la force et l'espoir. Elle m'avait donné son adresse, elle avait même pensé à l'écrire sur ce bout de papier avant que l'on ne se retrouve à la clairière, signe qu'elle était sûre d'elle comme de moi. Je lui écrirais, elle me répondrait. On se reverrait, un jour de cette vie que nous ne vivions pas encore mais qui nous attendait, faite pour nous, à notre mesure, à notre espérance. L'existence d'une fille comme Deirdre me confortait dans l'idée que la réalité était plus sérieuse, plus profonde, plus passionnante que tous ces romans dont ma mère et les profs de français me bassinaient et qui me tombaient des mains.

À la gare de Brive, mes grands-parents m'attendaient sur le quai, l'air chiffonné. Mon père avait dû les prévenir de mon cirque. Pour le faire mentir, j'ai sauté du train un grand sourire aux lèvres, portant vaillamment ma valise alourdie d'un gros dictionnaire français-anglais Harrap's.

En démarrant, l'autorail avait semblé repartir vers Paris avant de négocier une large courbe et de se caler plein ouest, au creux de la vallée de la Vézère, en direction de Lambrac. Séparé de Deirdre par tant d'espace, de champs, de prés, de coteaux, je tentais de la retrouver sur les parallèles temporelles. Nous n'étions pas au même endroit mais nous étions à la même heure. Pensait-elle à moi comme je pensais à elle dans cet autorail ? Que faisait-elle en cet instant précis, à trois heures de l'après-midi ?

Lisait-elle dans la clairière ? Se promenait-elle au Bois Murat avec sa classe de langue ? Commandait-elle des gaufres à la boulangerie ? J'imaginais ses évolutions dans l'affectueuse géométrie de Froncy. Parfois le souvenir de son visage se dérobait, se refusait. Plus je le cherchais, plus il se brouillait, s'opacifiait, se diluait en une tache blanche incandescente. Ce visage, je ne l'avais vu que quelques heures. Afin de ménager ce mince viatique de mémoire, j'évitais de penser à lui, m'absorbais dans la contemplation du paysage à travers la vitre, m'enquérais auprès de mon grand-père des dernières nouvelles de Lambrac ; et comme un mot qu'on a sur le bout de la langue finit par nous revenir parce qu'on ne le cherche plus, bientôt le visage de Deirdre réapparaissait, si net, si ressemblant, qu'il m'échappait un sourire dont plusieurs fois ma grand-mère me demanda la cause.

À la descente du wagon, un vent d'arômes plus gras que les senteurs subtiles de Froncy m'avait percuté, étourdi. Des bouquets de foin, de purin, de luzerne, de pollen, se mêlaient aux vapeurs de gasoil de l'autorail qui repartait en mugissant le long du quai désert pilonné par le soleil. Ici à Lambrac, la lumière tombait à la verticale, écrasait les reliefs dans un fracas silencieux, on n'entendait rien, on voyait tout poudrer à la ronde.

Sur la route qui descendait de la gare, j'allais croiser les premiers paysans, l'allumette entre les dents, le chien dans les pattes, la fourche sur l'épaule, houspillant les vaches en patois. Chaque été, cette campagne, ses habitants me déroutaient par leur archaïsme, leur étrangeté, leur perdition ; il me fallait quelques jours pour m'acclimater, profiter des charmes des lieux. Mais cette fois, je fus pris d'effroi, le contraste était trop violent entre ce milieu bestial, oppressant, et les contrées mentales où j'évoluais depuis la veille. Dix-huit heures plus tôt, je marchais et parlais avec Deirdre le long des douves du château de Froncy, elle s'endormait sur mon épaule dans la clairière bleue, elle me serrait dans ses bras près du bassin, j'avais trouvé mon pays. Et voilà que j'en étais arraché, jeté dans ce trou paumé, au fin fond du monde.

Mes grands-parents me trouvèrent bien studieux cet été-là à Lambrac. Prétextant un (réel) retard en anglais à rattraper, limitant les jeux, les parties de pêche, les courses à vélo, la chasse aux rapiettes avec les garçons du coin, j'allais passer la moitié du temps à « travailler » dans la chambre au premier. Assis à une antique table de cuisine, les deux mille pages du Harrap's ouvertes à côté de moi, je m'entraînais au thème anglais. J'écrivais à Deirdre, lui décrivais la maison biscornue (*crooked*) des grands-parents, la cour (*yard*) avec le tilleul (*lime*) suintant de résine (*resin*, tout simplement), lui racontais mes cueillettes de mûres (*blackberries*), la pêche aux écrevisses (*crayfish*), les préparatifs de la moisson (*harvest*), la traite des vaches (*milking cows*) chez mon oncle – j'assimilais en quelques semaines plus de vocabulaire anglais qu'en trois ans de collège, sans toutefois trouver comment traduire « faire chabrot », cette coutume périgourdine mêlant un peu de vin à un fond de soupe chaude dans l'assiette avant de la boire goulûment.

Je voulais savoir comment s'était déroulé son séjour à Froncy (elle trouverait mes lettres à son retour à Carlywin). Avait-elle aimé la petite ville ? Visité le château ? Découvert la cité américaine ? Exploré le Bois Murat avec sa classe ? Trouvé un marchand de gaufres dans les environs ? Était-elle revenue lire dans la clairière près du bassin ? J'en venais à l'état où m'avait laissé notre rencontre. Tout me manquait d'elle, sauf la force qu'elle me donnait. Je lui promettais de venir bientôt à Carlywin, de franchir ce *« grand pont de fer au-dessus d'un fleuve de mer »*. Traduire en anglais mes états d'âme n'était pas simple, il me fallait d'abord trouver les mots en français, enrichir mon vocabulaire sentimental, m'enfoncer dans des forêts de synonymes et d'analogies plus broussailleuses que le Bois Murat. Je m'y reprenais cent fois, redoutant froideur, maladresse, contresens. Pour les métaphores, je m'en remettais, non sans risque, au mot à mot. Au dos de chacune de mes lettres, j'inscrivais en capitales mon adresse à Lambrac.

Ces lettres, c'était en fait de grandes cartes postales achetées avec leurs enveloppes au tabac du village, affranchies de timbres de collection choisis sur le présentoir à la poste : l'orgue de la cathédrale de Poitiers, la verrerie de Gallé ou le pont de Bastia. En échange de courses à l'épicerie, j'avais obtenu de la postière, réputée pipelette dans le village, qu'elle ne parle de mes envois à personne, surtout pas aux grands-parents. D'après elle, mes lettres mettaient trois ou quatre jours à parvenir au Windy Lane 3, PO, Carlywin, Wales.

Windy voulait dire venteux, aucun doute là-dessus, mais *lane* pouvait signifier allée, ruelle, chemin, sentier, une petite voie, dont la taille s'appariait dans mon esprit à celle de la maison de Deirdre, un cottage blanc coiffé d'un toit en chaume, avec des bow-windows à vitraux donnant sur un jardin planté de romarin et de campanules. À ce tableau se greffaient l'horizon et les parfums de la mer. Car d'après le dictionnaire des noms propres du grand-père, Carlywin était une « petite station balnéaire » située sur l'île d'Anglesey et peuplée d'environ 3 700 habitants, moitié moins que Froncy.

Que Carlywin figure dans le dictionnaire me rassurait, en l'authentifiant, en lui attribuant une réalité objective, universelle, plus concrète que mes rêveries. C'était déjà un peu m'en rapprocher. J'enviais les quelque 3 700 concitoyens de Deirdre qui pouvaient lui parler et la croiser tous les jours dans les rues. À l'échelle de la carte, Carlywin se situait à cinq cents kilomètres à vol d'oiseau de Froncy et à mille de Lambrac. Une heure, une heure et demie d'avion, à condition qu'il y ait un aéroport dans le coin.

À partir de la mi-juillet, date où Deirdre m'avait dit rentrer à Carlywin, je guettai chaque matin vers dix heures l'arrivée du facteur. Posté devant le portail de la maison, je me précipitais au-devant de l'homme à vélo, scrutant les enveloppes qu'il sortait de sa gibecière. Pendant un mois il n'eut rien pour moi. Enfin, la veille de la retraite aux flambeaux du 15 août, il me tendit une lettre oblitérée de deux petits timbres représentant le profil de la reine d'Angleterre.

La lettre tenait en quelques lignes au centre d'une page blanche. Deirdre me remerciait de mes cartes de la « lovely Dordogne ». Elle espérait que je passe de bonnes vacances à la campagne et que je m'amuse bien avec mes amis paysans. Elle pensait à moi, mais ignorait quand elle reviendrait en France, et si l'on se reverrait un jour (*maybe*). Aucune réponse aux questions que je lui posais. Aucune allusion à notre promenade autour des douves, notre étreinte près du bassin, notre serment dans la clairière. Comme si tous ces moments n'avaient jamais existé. Son écriture, moins ronde, plus griffée que sur le papier où elle avait noté son adresse, trahissait sa hâte de s'acquitter le plus vite possible d'une simple politesse. Restaient les trois mots avant sa signature ornée de petits signes de multiplication : « *Lots of love* ». Ce *love* qui tranchait avec la tiédeur de la lettre ralluma un espoir vite éteint par le verdict du Harrap's. *Lots of love* s'employait comme formule de politesse, amicale, affectueuse, tout au plus, rien à voir avec l'amour, beaucoup d'amour.

« *Écris-moi.* » Je lui avais écrit, cinq fois, longuement, avec application, en anglais, et elle me retournait ces fadaises !

Je relus mes brouillons, craignant des bourdes qui l'auraient agacée ou blessée, repérai des erreurs, des longueurs, mais rien de rédhibitoire. Ma frénésie épistolaire, mon lyrisme scolaire l'avaient peut-être effarouchée ou lassée. La pudeur, la maturité que je lui prêtais l'empêchaient peut-être de coucher ses sentiments sur le papier. Elle avait peut-être répondu précipitamment, entre deux destinations de vacances, et prévu de m'adresser une lettre plus digne de nous à la rentrée. J'attribuais à mes *peut-être* et à son *maybe* la même variable d'espoir. Après tout, elle disait *penser* à moi ; et si elle pensait à moi comme je pensais à elle, l'histoire continuait, le destin agirait, on se retrouverait forcément. Je cherchais mille raisons d'endiguer le poison de la déception. Je lui répondis en lui décrivant brièvement la fête foraine à Lambrac et, les vacances tirant à leur fin, lui rappelai mon adresse à Froncy.

Je rentrai à Froncy le premier jour de septembre. Mes parents semblaient avoir oublié les incidents liés à mon départ, aucune remarque, aucune question ; ils m'évitèrent d'avoir à leur mentir une nouvelle fois. J'étais impatient de retrouver la bande après deux mois de séparation. La petite ville semblait nous attendre, pressée de nous voir la réveiller de sa longue sieste estivale. Une nouvelle parenthèse s'ouvrait là, la dernière semaine de vacances avant la rentrée des classes, qui la refermerait. Ces quelques jours de loisir avec les copains à Froncy avant le retour au collège, c'était l'apogée, la deuxième mi-temps de l'été. Nous reprenions nos foots au stade du Donjon au score où nous nous étions quittés.

J'aurais pu dégager sur Laurent, j'ai préféré servir Pierre, trop excentré. Le ballon a volé au-dessus du mur, dans le parc. J'ai couru le chercher. Dans la clairière, les boutons d'or et les fumeterres commençaient à faner, l'herbe où Deirdre s'était assise s'était relevée, une descente de branches obstruait le passage par lequel elle avait disparu dans la nuit pour rejoindre la surveillante Gladys deux mois plus tôt. Notre rencontre, notre complicité, notre fusion semblaient dater d'un autre espace-temps. Elle n'avait pas répondu à ma dernière lettre de Lambrac. M'approchant du bassin, je remarquai d'étranges filaments poussés dans une anfractuosité à l'endroit où nous nous étions endormis l'un contre l'autre. Des tiges très fines, de couleur fauve, d'une variété botanique jamais rencontrée dans mes herborisations, comme des cheveux de feu sortis de la pierre.

Au début de l'automne, je lui envoyai un petit mot pour lui souhaiter une bonne rentrée des classes à Carlywin en terminant par un prudent « *Friendly yours* ». Une nouvelle fois, pas de réponse.

Entraîné par le poids de son silence, lassé de n'y rien comprendre, je pensai de moins en moins à Deirdre au fil des semaines, des mois, au point d'égarer le papier où elle avait écrit son adresse. L'année suivante, alors que le retour de l'été et des foots au stade du Donjon aurait dû rallumer son souvenir, je ne cherchai même pas à savoir si elle était revenue avec sa classe au monastère de Froncy. Je ne pensais plus à elle, et nul ne pouvait me la rappeler. À part la postière de Lambrac (mutée depuis dans les Cévennes), je n'en avais parlé à personne.

Du vieux collège de Froncy, la bande n'avait eu qu'à traverser l'avenue des Peupliers pour entrer au nouveau lycée, un gros cube de béton blanc aux allures d'une clinique, avec hublots et passerelles métalliques, finalement construit après de multiples amendements esthétiques au conseil régional. On changeait, on muait, on boutonnait. Pierre sortait avec Gail, une blonde qui ressemblait au David Bowie d'*Hunky Dory* ; Jérôme avec Julie, fumeuse de JPS « paquet rouge » ; Laurent tournait autour d'Ida, une Réunionnaise en lunettes noires ; Éric, je ne sais plus. Moi, je flirtais avec Charlotte, une fille des « maisons américaines », championne départementale de natation, en perdition scolaire, à qui j'avais proposé mon aide en maths, ce qui était une façon d'occuper sa chambre, de tâter le terrain. Après les cours, on se retrouvait au café de la Chêneraie, le plus ancien bistro de Froncy, où la bande se répartissait entre les jeux vidéo et le baby-foot relégué au rang d'antiquité dans l'arrière-salle à côté du flipper Gottlieb. On fréquentait moins le stade du Donjon. Les samedis, on poussait en scooter jusqu'au cinéma de Truel, la sous-préfecture, à vingt kilomètres, les filles en amazone sur les selles biplaces.

En première, j'effectuai un séjour linguistique au sud de Londres, dans une famille nombreuse originaire du pays de Galles. Gitan enrichi à la City, le père projetait de retourner dans son île natale d'Anglesey, en chantait les paysages et la douceur de vivre aux dîners. Je l'écoutais poliment, indifférent aux charmes d'une contrée que j'avais mythifiée trois ans plus tôt. J'attendais que sa femme allume la télévision pour parfaire mon lexique et mon accent BBC. Longtemps pitoyable en anglais, j'avais beaucoup progressé dans cette langue.

En ouvrant la collante au lycée de Truel où nous avions passé le baccalauréat, c'est la première matière que j'avais regardée, anglais, écrit, oral : 19/20. La même note qu'en maths et en physique-chimie. Un double 2 à l'oral et à l'écrit de français me privait de la mention très bien. Pierre l'avait obtenue ; Jérôme, Éric et Laurent se contentaient du visa passable ou assez bien. En cette matinée de victoire, on avait chevauché nos motos jusqu'au Celtic, un pub de la ville. On avait dix-huit ans, on pouvait commander des bières en terrasse. On s'était contentés d'un café debout au bar. Ce bac à Truel, on l'avait moins fêté qu'une « lucarne » ou une reprise de volée au stade du Donjon. La bande alignée au comptoir, tout un symbole : on ne s'écoutait pas, chacun regardait devant soi, se composait un nouveau visage dans le grand miroir derrière le percolateur. On s'était trop vus, trop entendus depuis l'école primaire. Un désir sauvage d'émancipation, de renaissance nous taraudait, nous isolait, nous libérait les uns des autres. En septembre, j'entrerais en classe de mathématiques supérieures comme interne au fameux lycée Gassendi à Paris. Je savais vaguement que Pierre se destinait à une profession médicale. Les autres, aucune idée. Longtemps on s'était souhaité de bonnes vacances, certains de nous retrouver au stade ou au café, mais cette matinée-là, sortant du pub à Truel, la collante en poche, nous oubliâmes de nous dire au revoir. Sitôt montés sur nos « 125 », on avait mis les gaz chacun de notre côté.

Cet été-là, passant à moto sur la route longeant le Bois Murat, j'entrevis une silhouette féminine se promenant à la lisière des arbres. Pressé de rejoindre ma petite amie Charlotte, j'emportai la vision – chevelure cuivrée, blancheur lumineuse du visage et des jambes – sans m'y arrêter.

Le soir, lorsque mon père me dit qu'« une fille à l'accent anglais » avait téléphoné et laissé le numéro de l'hôtel de Froncy où je pouvais la rappeler, me revint, tout aussi insolite que cette annonce, la vision fugace à l'orée du bois dans l'après-midi. Un accent anglais, une silhouette ivoirine, des cheveux de feu, sur un fond d'arbres... Tout cela me rappelait quelqu'un, une fille, la petite Galloise, Deirdre Tefoe, que j'avais rencontrée dans le parc du château, à treize ou quatorze ans, quatorze ans plutôt, car cet été-là, j'avais passé deux mois chez les grands-parents. Je me souvenais bien de cette rencontre dans la clairière, d'une promenade autour des douves, de mon chagrin de la quitter pour partir à Lambrac, des lettres que je lui avais envoyées au pays de Galles, et de la sienne, si décevante que je l'avais perdue, mais je m'en souvenais comme d'une histoire qu'on m'aurait racontée – ou que j'aurais lue si j'avais aimé les livres – et dont il m'était tout à fait indifférent qu'elle soit réelle ou fictive. Une histoire sans importance, sans résonance, sans postérité, comme l'âge auquel elle me renvoyait. Comment avais-je pu avoir quatorze ans ? Ce garçon de quatorze ans, éphémère, inachevé, avait disparu dans le cycle de mes métamorphoses, je ne me le rappelais pas. Je ne rappelai pas Deirdre Tefoe à l'hôtel de Froncy.

Le lendemain, je partais en Corse avec Charlotte, trois semaines de camping sauvage aoûtien avec ma petite amie aux cheveux châtains tirant sur le roux.

Que s'était-il passé avec Charlotte à notre retour de Corse début septembre ? Rien. Un jour, un jour comme un autre, comme il s'en levait de plus en plus à Froncy, on ne s'était pas appelés, pas vus, ni le lendemain, ni le surlendemain ; le jour suivant, je n'y pensais plus ; elle non plus, sans doute.

La rentrée en maths sup à Paris approchait. Après les copains et Charlotte, j'allais quitter Froncy sans regret. J'en avais épuisé l'harmonie, la douceur, la fantaisie, la vitalité. Depuis l'entrée au lycée, je ne regardais plus d'un œil aussi ému et complice qu'avant ses rues, son château, ses bois, ses cieux versicolores. D'une certaine façon, Froncy avait fini par faire *partie du décor*. La petite ville avait pris la même patine que ces meubles que ma mère souhaitait laisser dans la maison mise en vente avec le garage paternel. Car mes parents aussi quittaient le coin. Mon père allait diriger une concession de voitures allemandes à Menton, à la grande joie de ma mère qui retrouvait la ville de son enfance. Ils emportaient mes maquettes d'avion, trop encombrantes pour me suivre à l'internat.

Au lycée Gassendi, l'internat c'était l'hôtel, avec distributeurs de confiseries, chambres individuelles et les clefs de l'établissement pour y accéder à toute heure, accompagné ou non. Ce régime reposait d'une concurrence effrénée aux concours d'écoles d'ingénieurs. Sûr de mes capacités en maths-physique-chimie, disposé à travailler mais non à m'abrutir, j'avais vite profité de ces facilités. Après la cantine du soir, fuyant le traditionnel « déca » soluble partagé entre taupins à l'internat, je passais le porche du lycée, retrouvais la rumeur du boulevard, enfilais une rue au hasard, me jetais dans une autre, m'enfonçais dans les arrondissements, traversais des ponts, découvrais le plaisir de me perdre dans la grande ville. J'avais cependant rapidement trouvé la direction du Parc des

Princes, pris un abonnement pour les matchs du Paris-Saint-Germain et l'habitude de fêter les victoires dans ma chambre avec une khâgneuse de Gassendi que reposait la compagnie d'un lecteur de *L'Équipe*.

En fin d'année, on m'avait admis en mathématiques spéciales qui préparait aux concours de Polytechnique, Centrale et autres Mines. Mais je visais plus haut : l'ENAC, l'École nationale de l'aviation civile. Des mois de tests dignes de la NASA. Trois mille cinq cents candidats. Cent places. Classé treizième.

Voler, voler comme un ange, comme le vent, comme un dieu, annuler les distances, ralentir la marche du temps, rapprocher les pays, garantir la vie des passagers, ce métier procurait une sensation de toute-puissance. Je n'avais pas échappé à la vanité galonnée des officiers pilotes de ligne en début de carrière. Lors de mes premiers vols sur moyen-courriers, avec l'accord du commandant de bord pour braver la consigne de sécurité, j'invitais parfois des passagères dans le cockpit afin de leur faire profiter de paysages qu'aucun homme n'aurait pu leur offrir. Il nous arrivait d'en reparler, elles et moi, au bar ou au restaurant d'un hôtel après l'atterrissage. Le mythe du septième ciel avait la peau dure et douce à la fois.

Cependant, au fil des ans, passé sur long-courriers, devenu à mon tour commandant de bord, j'avais peu à peu perdu le contact avec la Terre, limité mes relations féminines aux hôtesses de l'air et aux aiguilleuses du ciel.

On découvrait le personnel navigant quelques heures avant le décollage, les hôtesses et les stewards changeaient à chaque rotation, on les revoyait rarement sur un autre vol, mais j'avais assez de métier et de relations pour savoir que la plupart de mes collègues pilotes étaient mariés ou en couple, avaient des enfants ou s'y préparaient. Ricochant de piste en piste autour du monde, ils avaient noué des attaches terrestres, fondé une ou plusieurs familles, parfois développé des activités annexes, et pour certains choisi un syndicat qui réclamait la réduction du temps de vol fixé à 70 heures mensuelles. Moi, rien ne me retenait au sol, j'aurais volontiers passé mon temps à m'ouvrir le ciel enveloppé dans le son d'acouphènes des réacteurs et des circuits électriques, à jouir de vues sublimes, interdites au commun des mortels.

Un jour, en phase de descente sur Roissy, j'avais perçu un déclic au niveau de l'oreille interne, signe d'une possible dépressurisation de la cabine. Les voyants ne signalant rien, le copilote sirotant paisiblement son café, j'avais jeté un œil à la vitre latérale de l'Airbus et reconnu Froncy, trois mille mètres plus bas. Quinze ans que j'avais quitté la petite ville. Pour discerner le Bois Murat, le château, le parc, il fallait avoir vécu là. À trois mille mètres d'altitude, je contemplai un moment le plan du passé, le réseau des rues, le collège, le bourg, la cité américaine, le stade du Donjon, minuscules broderies sur le tapis d'Ile-de-France. Le gamin qui observait au même moment mon avion du trottoir de l'avenue de Senlisse, évidemment je ne pouvais pas le distinguer, mais je lui souhaitais mon histoire, la même position, le même privilège plus tard, celui de voler dans le ciel de Froncy, dans la matière même de ce que j'avais imaginé et tant désiré avant lui, ce drapé cobalt, les nuages ambrés, le crépuscule fauve tapi au loin, et tous ces dégradés, ces lavis, ces accidents de lumière. Le plaisir de voler venait de là aussi : tout en haut, j'étais ramené en arrière.

Trois ou quatre allers-retours par mois sur les cinq continents, cela fait une douzaine de jours en l'air et en escale. Entre deux rotations, mon port d'attache se situait à la pointe de l'île Saint-Louis, quai de Bourbon, dans les hauts murs d'un grand studio avec cuisine américaine. Le balcon en forme de proue, la large baie vitrée donnant sur la Seine et ses ponts, la promesse des levers de soleil sur l'abside de Notre-Dame avaient vaincu mes préventions d'ancien pavillonnaire contre le « style loft » vanté par l'agence immobilière.

La sensation éprouvée à mon arrivée à Paris persistait, s'amplifiait. J'avais appris le nom de ses rues, je ne m'y perdais plus, mais son cœur, son intimité me demeuraient inaccessibles, je la vouvoyais toujours. J'en restais l'invité, timide, empressé, ébloui, comme tous ceux qui n'avaient pas grandi dans ses rues, qu'elle n'avait pas habitués dès l'enfance à sa façon de se changer vingt fois par jour et par nuit au gré de sa fierté, de sa fantaisie, de sa mélancolie, de sa misère, aussi. Paris me déroutait, Paris m'échappait, deux raisons de l'aimer.

Un samedi de printemps, me promenant boulevard Malesherbes, j'avais reconnu Pierre Leconte, l'autre Pierre de la bande de Froncy, perdu de vue comme les autres depuis la fin de la terminale. Son visage s'était effilé, mais c'était bien lui, avec ces boucles noires, cet air bonhomme, ce pas dansant.

— Pierre !

— Pierre ? Incroyable. Ça fait un bail, dis-moi.

— Les résultats du bac. Bientôt dix-neuf ans. Appelle-moi Sam, ça nous rajeunira.

La jeune femme grande et brune en veste cape rouge qui le devançait était revenue à sa hauteur en dardant sur moi des yeux aux longs cils recourbés. Il nous avait présentés.

— Pierre, un vieux copain. Mirabelle, ma fiancée.

La longue fille au teint espagnol avait fait la moue en souriant, comme si elle jugeait ce statut discutable, ambigu. Et elle n'avait pas trouvé si drôle que je partage le prénom de son compagnon. Comme elle montrait tous les signes d'une femme pressée, Pierre m'avait hâtivement serré la main, demandé de l'appeler sans faute et tendu une carte de visite. Cardiologue, avenue des Ternes.

Quelques semaines plus tard, nous dînions tous les deux dans un restaurant japonais près de la place Saint-Augustin. Pierre gardait d'agréables souvenirs de notre jeunesse à Froncy, mais lointains, flottants, de l'eau avait coulé sous les ponts. Il avait de vagues nouvelles des copains de la bande, par son frère qui habitait toujours la petite ville, comme ses parents. Lui s'y rendait rarement, sa famille venait plutôt le voir à Paris, son appartement jouxtait son cabinet de cardiologie. Habiter et travailler au même endroit, cette sédentarité, aux antipodes de mon nomadisme planétaire, me rappelait celle de mes parents, notre maison attenante au garage automobile de mon père. Mon père, mort cinq ans plus tôt dans un accident de voiture sur la Côte d'Azur, un virage raté dans la descente du col d'Èze. Attristé, Pierre s'était inquiété du sort et du moral de ma mère après ce drame. Elle s'était remariée un an plus tard avec un assureur de Menton, un ami d'enfance, m'avait-elle dit. Contraint de remplacer au pied levé un collègue sur un vol pour Moscou, j'avais raté la cérémonie à la mairie et les réjouissances subséquentes au mas de l'assureur. J'étais descendu plus tard à Menton pour organiser par fret aérien le retour de ma collection de maquettes à Paris.

Pierre aimait toujours autant le football que l'œuvre oraculaire de Bowie. Deux excellentes raisons pour nous retrouver régulièrement, dîner ensemble, aller voir jouer le PSG au Parc, en enviant souvent les Londoniens de pouvoir varier les plaisirs avec cinq clubs d'élite dans leur ville. Parfois je passais le chercher avenue des Ternes avec une surprise, le pressage étranger d'un vinyle du *Thin White Duke* rapporté d'un de mes déplacements autour du monde. Nous l'écoutions dans son salon sur l'ancienne platine Pioneer de ses parents, celle que je leur enviais tant à Froncy. Nous écoutions l'artiste avec d'autant plus d'attention que la presse avait annoncé sa mort, ce que Pierre se refusait à croire.

Un soir d'automne, Mirabelle nous a rejoints au moment du dessert dans un bar à tapas.

Je ne l'avais pas revue depuis notre rencontre boulevard Malesherbes l'année précédente. Elle ne vivait pas avec Pierre, et ce dernier l'évoquait rarement, par des allusions à son métier d'architecte d'intérieur ou à sa passion des fringues. Ce soir-là, elle arborait une robe portefeuille couleur prune, avec une encolure cache-cœur. Adorant « les voyages, découvrir des cultures, des mentalités, des gens différents », Mirabelle m'avait bombardé de questions sur mes destinations lointaines et mon « ressenti » sur les dangers de l'empreinte carbone des avions. Le nez dans ma coupe de *natillas*, j'enchaînais vues de cartes postales et truismes écologiques. À un moment, elle avait pouffé de rire.

— Avoir fait cent fois le tour du monde sans rien voir que des aéroports, des boutiques duty free, des disquaires et des hôtels, c'est délirant.

Délirant. Ce mot lâché la bouche en cœur par Mirabelle avait touché un nerf ; ce mot, pourtant anodin, avait réveillé un sale écho, au point que je lui avais sèchement demandé de le retirer, comme s'il s'agissait d'une insulte. Interloquée, elle avait sondé Pierre du regard en agitant les mains paumes ouvertes devant elle, comme le font certaines femmes quand une situation les déroute.

— Mira, les pilotes de ligne, c'est comme les footballeurs, avait tenté d'expliquer Pierre, embarrassé. À l'étranger, ils ne voient rien d'un pays. Ils sont en mission. Cela n'a rien de délirant.

Sensible aux efforts déployés par son fiancé pour me sauver la mise, Mirabelle avait pris sur elle.

— Je retire ce mot, les garçons, je retire. Vous êtes compliqués. Je ne pensais pas à mal.

— Je n'en doute pas, Mirabelle, avais-je bredouillé, édifié par cette leçon de tact. Désolé, je suis à cran en ce moment.

Elle avait levé les yeux au ciel, tiré une fine cigarette de son paquet et pris le chemin de la terrasse. Pierre avait dégainé son sourire de cardiologue et commandé trois manzanas.

— Ne t'inquiète pas, mon vieux. Cette Gloria, tu l'oublieras.

« Cette Gloria », comme disait Pierre, c'était Gloria Swinton, une hôtesse anglaise travaillant dans ma compagnie. Gloria, trente ans, des yeux cendre, des joues d'ivoire, des épaules étoilées de taches de rousseur, une épaisse chevelure tramée d'or et d'orange brûlée, des éclats de rire en cascade, un mont de Vénus à faire des enfants, même si elle n'abordait jamais le sujet. Depuis que je volais, c'était la première fois que je me sentais amoureux, que j'envisageais de me poser sur Terre. Notre liaison avait résisté aux décalages horaires, aux absences mutuelles, aux dangers des longues distances, des hôtels anonymes et de l'esprit de sérieux, jusqu'à cet incident survenu trois mois plus tôt à Singapour, après un dîner en amoureux du crabe au poivre. Nous avions atterri l'avant-veille, nous redécollions le lendemain. C'était notre première rotation ensemble. J'avais tenu à la fêter dignement. De retour dans notre chambre au Fullerton, je l'avais prise sur mes genoux.

— Gloria, ferme les yeux. Et donne-moi ta main.

Elle s'était pressée contre moi, croyant peut-être à un jeu érotique.

— Tu es le visage du temps, avais-je déclamé d'une voix plombée de gravité. Tu as sur moi un très fort pouvoir de synthèse, tu m'as rassemblé. Tenons les mots entre nous. Je t'attends depuis si longtemps. Je ferai plus que t'aimer. J'ai l'honneur de te demander ta main.

Sur ces belles paroles, j'avais glissé une bague à son annulaire. Quand elle avait rouvert les yeux, le solitaire d'un carat brillait de tous ses feux dans la lumière tamisée. Stupéfaite, effarée, elle l'avait arraché de son doigt et examiné en experte.

— C'est délirant.

Elle avait jeté la bague sur le lit.

— Je veux une vie sans synthèse, sans visage du temps, sans diamant.

Elle avait pris son sac et la porte.

Songeur, je m'étais assis à côté du bijou et l'avais recouvert d'un bout de drap comme s'il s'agissait d'un petit être mort. Au prix de la bague, difficile de rattraper le coup, d'alléguer une plaisanterie, un sketch d'amoureux transi (« Mon Dieu, Gloria, où est passé ton sens de l'humour ? »).

Au bout d'un moment, j'étais descendu à la réception. On l'avait entendue demander un taxi pour l'Ambassador, l'hôtel de l'aéroport Changi. Le lendemain matin, un garçon était venu chercher son bagage dans notre chambre. Avant l'embarquement du vol de retour sur Paris, alors qu'elle s'affairait dans la cuisine de bord, elle m'avait affranchi, avec sa sincérité habituelle.

— Tu me plaisais beaucoup. Mais je n'ai jamais été amoureuse de toi. Je ne suis pas celle que tu crois.

Depuis, le moindre rappel des événements de Singapour me mortifiait ou m'électrisait. Mirabelle en avait fait les frais au bar à tapas. Elle n'était pas la seule, je multipliais les accès d'humeur dans mon métier. Pour la première fois, voler me pesait, salement. Les zincs, une prison. Le ciel, du néant. Les rotations, un calvaire. Les contrôleurs du ciel, des têtes de nœud. Le personnel navigant, des incompétents. Les passagers, une engeance. Les troupeaux de migrants hédonistes en valises à roulettes me donnaient la nausée, je laissais le micro au copilote ou au chef de cabine pour les accueillir à bord. J'en voulais au monde entier, à ceux qui partaient, à ceux qui arrivaient, surtout à ceux qui se retrouvaient, qui croyaient se retrouver, alors qu'ils ne s'étaient jamais vraiment quittés, pour s'être parlé, écrit, filmés sur leur téléphone plusieurs fois par jour. Où qu'ils fussent sur cette planète, les gens n'étaient jamais qu'à vingt heures tout au plus les uns des autres et ils pouvaient se joindre à tout moment. Loin et longtemps ne signifiaient plus rien. Il faisait jour partout, mais c'était un faux jour, il n'y avait plus de ciel.

J'imaginais le monde ancien, celui d'avant les avions, les voitures et les trains, quand on mettait des jours ou des mois pour retrouver un être cher à l'autre bout d'un pays, d'un continent. Des jours et des mois à marcher dans les chemins, chevaucher sa monture, traverser des mers, et des années à y penser. Je regrettais d'autant plus cet âge d'or qu'il me semblait, contre toute raison, l'avoir connu.

La colère, le dépit, le dégoût avaient peu à peu ouvert la brèche à une tristesse latente, indéfinissable, un spleen épais, torpide, sans nom ni objet. Mon humeur s'aggravant avec l'hiver qui durait, je m'étais résolu à consulter un psychiatre agréé par la compagnie.

Oui, je dormais bien, peut-être même un peu trop. Oui, j'avais tendance à me déprécier en ce moment. Non, pas au point de nourrir des idées de suicide. Je tenais juste à m'extirper d'une histoire à la con avec une hôtesse que je n'étais plus sûr d'avoir aimée et à retrouver le plus vite possible le plaisir de voler. Le médecin avait hoché la tête et diagnostiqué un « syndrome dépressif d'intensité légère à moyenne ». Rien de grave, mais à surveiller, à traiter. Depuis le crash volontaire du pilote d'un Airbus avec cent cinquante passagers à bord dans les Alpes du Sud, on ne plaisantait pas avec le moral des commandants de bord. Le psychiatre m'avait prescrit trois mois d'arrêt de travail renouvelables et un antidépresseur associé à un anxiolytique.

— Il vous arrive de pleurer ? Notamment le matin ? avait-il demandé en noircissant l'ordonnance.

— Jamais, docteur. J'ai pleuré gamin, normalement, comme tous les gosses. Mais cette fonction s'est tarie à l'adolescence. Pas une larme aux obsèques de mes grands-parents, ni à la mort de mon père, il y a quelques années. Pourtant, j'étais au fond du trou.

Il avait hoché la tête.

Cloué au sol, je ne quittais plus mon appartement du quai de Bourbon. Certains jours, à mon réveil, vers midi, je ne me sentais pas la force d'ouvrir une porte. Heureusement que j'habitais un loft. La cafetière préparée la veille sur la table de chevet, je n'avais qu'à tendre le bras pour prendre mon café au lit. Puis j'allais à une fenêtre, jeter un œil à la Seine. Glauque, bourbeuse, bulleuse, elle traversait l'hiver aussi mal que moi. Ensuite, j'allumais la télé, choisissais un match de football parmi la dizaine proposée dans le bouquet satellite, et poursuivais le chantier de rénovation de mes maquettes d'avions, auxquelles j'avais consacré un espace du côté de la cheminée. L'effet domino des réparations avait entraîné la réfection de la salle de bains, menée avec l'aide du mari de la gardienne, maçon émérite, sauvé d'une maigre retraite par le travail au noir, ravi d'offrir à sa femme le diamant destiné à Gloria.

Jeter à la poubelle les affaires laissées par l'hôtesse m'avait aussi conduit à ranger les placards. Un jour, au fond d'un carton, sous d'anciens cours de Gassendi et de L'ENAC, j'étais tombé sur le Cahier Bleu, ce journal intime que j'avais tenu jusqu'en seconde à Froncy. En l'ouvrant, une jacinthe et une anémone séchées, vestiges de mes herborisations au Bois Murat, s'étaient posées sur le parquet. Étais-je bien l'auteur de ces pages innocentes, burlesques, sagaces ? Elles semblaient d'un autre garçon, qui s'étonnait de tout et ne jugeait personne. Toujours aussi allergique à la lecture, preuve que je me ressemblais encore un peu, j'avais vite refermé cette vieillerie.

Plusieurs fois, Pierre m'avait proposé de dîner ensemble ou d'aller voir un match au Parc des Princes. J'avais décliné, prétextant la fatigue des rotations sur de lointains continents. Le plus sage, une fois ravitaillé en bière, pizzas et sushis, c'était de rester seul, peinard, calé devant la tchatche hypnotique des chroniqueurs de *L'Équipe du soir,* avant d'enfiler des matchs jusqu'à l'aube en direct ou en *replay.* Des grandes puissances aux pays émergents, le football ne dormait jamais. Dans un monde en pente, le ballon n'en finissait pas de rouler. Et maintenant les filles s'y mettaient. Une orgie.

Le retour du printemps, les premiers bourgeons sur les peupliers de l'île, la mue noire des mouettes rieuses m'avaient poussé à mettre le nez dehors. L'allant de la Seine, sa vigueur, sa majesté, ses reflets verts, argentés, m'avaient valu ma première, et trop courte, pointe d'euphorie depuis des mois.

À hanter les quais, j'avais fini par briser la glace avec l'un de ces êtres bourrus, pelucheux, insondables, appelés bouquinistes. Bernard tenait un stand, « des boîtes », sur la rive droite du Pont-Marie. À cinquante ans, il n'avait jamais pris l'avion. Je n'avais jamais terminé un livre. La carence nous rapprochait. Nous parlions de tout et de rien, le plus souvent de nos emmerdements. Les siens, il en accusait les bouquins, ceux qu'il n'arrivait plus à vendre aux passants ignares ou aux touristes barbares, « et inversement » ; ceux aussi qu'il avait trop lus, trop crus, qui lui avaient ouvert des mondes chimériques dont il n'était jamais revenu, l'exilant pour toujours de la société des hommes, de leurs mensonges, de leurs bassesses. Les femmes, « ces livres vivants », s'étaient elles aussi détournées du cas de Bernard.

— Au début, à les entendre, j'étais leur soleil. C'était : « Merci d'exister, d'être ce que tu es, etc, etc. » À la fin, qui arrivait vite, elles me trouvaient trop idéaliste, trop fou, trop poète.

Mon fiasco avec Gloria le renvoyait à sa collection de vestes et de râteaux. Il s'en inquiétait parfois lors de mes visites au Pont-Marie.

— Tu penses toujours à ton histoire avec l'hôtesse ?

— Non. Mais il y a comme un arrière-plan que je ne distingue pas, un angle mort. Je ne vois rien. Les médicaments m'ensuquent complètement.

Il s'était emparé d'une mallette en vieux cuir posée contre le parapet.

— Je te l'échange contre ton stock d'anxiolytiques et d'antidépresseurs.

— Qu'est-ce qu'il y a là-dedans ?

— Un lot de livres, des éditions rares, avait-il lâché dans un sourire plissant ses joues hérissées de limaille de fer. Un petit choix de Marcel Proust, Gérard de Nerval et Louis-Ferdinand Céline. J'ai dans l'idée qu'ils te réussiront mieux qu'à moi. Et comme je n'ai pas de fric pour me payer un psy, tes médocs feront l'affaire.

J'aurais pu lui donner les médicaments en lui laissant ses vieux papiers, mais Bernard avait un principe : ni aumône ni cadeau.

Rentré chez moi, j'ai ouvert la mallette de Bernard, feuilleté *Du côté de chez Swann* du fameux Proust, lu une page au hasard, esquissé un sourire, refermé le bouquin, puis allumé la télé. Pendant le match du championnat de Turquie, la voix sortie du livre est revenue flotter dans la pièce, filtrée, charmeuse, entêtante. Elle m'a ramené à la table où j'avais posé la mallette. J'en ai tiré deux autres livres, ceux qui me venaient sous la main. *Les Filles du feu* de Nerval parlait d'une voix différente. Du *Voyage au bout de la nuit* s'échappait encore une autre voix. Chaque livre avait sa propre voix. Des voix comme je n'en avais jamais entendu, ultrasoniques, rythmées, souveraines, sublimes. Des voix auxquelles il était impossible de se dérober. Elles m'intimaient de les écouter.

L'ordre ne sortait pas de la bouche d'une mère ou d'un professeur comme pendant ma scolarité à Froncy, mais du cœur des textes, du sens, des images, des visions formés et portés par ces voix, voix impérieuses, mais assez complices, amicales, pour me laisser entendre qu'elles aussi avaient besoin de mon attention, de ma générosité, de la mobilisation de ce que j'avais de meilleur en moi, pour délivrer leur pleine puissance, la variété de leur gamme, me transmettre quelque chose que je devrais d'une manière ou d'une autre convertir et prolonger dans l'existence et à ma façon. Au niveau de solitude où j'étais parvenu, il m'était naturel, vital, de leur obéir ; j'en éprouvais même une sorte de fierté.

J'avais donc arrêté les médicaments et m'en étais remis aux voix. J'avais lu ces trois livres, l'un après l'autre, lentement, posément, opiniâtrement, page à page, pendant des heures, dans mon fauteuil, allongé sur mon lit, me répétant des phrases à haute voix, soulignant des passages au crayon, cherchant à comprendre ce que je comprenais toujours différemment, guidé, entraîné, enhardi par ces voix personnelles, irréductibles, antagonistes à certains égards, mais qui s'accordaient sur les registres de l'intelligence et de la sensation.

En juin, j'avais terminé la lecture des dix ouvrages échangés avec Bernard. Je me sentais mieux que rétabli : affermi, augmenté. Entouré, aussi : Bardamu, le baron de Charlus, Aurélia s'invitaient dans mes journées, je pensais à eux comme à des amis perdus de vue, mais qui m'écriraient souvent pour me raconter ce qu'ils devenaient. Comment agissaient les pouvoirs de Céline, Proust et Nerval sur les organes, les fluides, les nerfs ? Comment définir la force, la paix, l'exil que leur style procurait ? Comment s'y prenaient-ils pour instaurer ex nihilo une telle intimité avec le lecteur ? Je l'ignorais, sans être sûr de vouloir creuser ces questions. Je décidai de passer sous silence ma cure de lecture au psychiatre de crainte qu'il n'y décèle une déviance. Le bruit courait en effet que le nombre de lecteurs était en chute libre, surtout dans ma tranche d'âge, les moins de quarante ans. Le mieux était de se présenter au médecin avec le teint frais, les idées claires et de faire l'éloge des médicaments qu'il m'avait prescrits.

Sorti du cabinet du psychiatre avec l'autorisation de reprendre les vols, j'avais pour la première fois de ma vie couru dans une librairie, me procurer les deux derniers tomes de la *Recherche*.

— Fallait me les demander, pilote ! m'avait lancé Bernard. Je te faisais les deux à huit euros. Enfin, on peut dire que j'ai eu le nez fin avec ma mallette...

— Et toi, comment te sens-tu avec mes médicaments ?

— Le mieux du monde. Et sans forcer les doses. Cette chimie m'apaise. Elle me rend peut-être à ma vraie nature : se foutre et rire de tout. Il y a quelques mois, tu m'aurais dit que tu fréquentais les librairies, je t'aurais balancé dans la Seine.

Tout le monde était content.

— Lâche tes bouquins ! m'avait lancé Pierre au téléphone, le premier jour de l'été.

— Tu as mieux à me proposer ?

— Mon frère Michel t'invite à ses quarante ans. Samedi prochain. Barbecue d'été à Froncy.

Mirabelle ne serait pas de l'expédition et Pierre passerait me chercher en voiture. J'étais sans doute le seul homme au monde à piloter un A380 sans avoir obtenu le permis de conduire. Les voitures, j'en avais trop vu dans le garage de mon père ; elles avaient fini par le tuer. Statistiquement les bagnoles étaient moins sûres que l'avion, sauf en cas de panne moteur.

En route pour Froncy, je repensais au frère de Pierre, Michel, d'un an notre aîné. À quinze ans, il bricolait des karts équipés de moteurs de Solex et les revendait aux mecs des « maisons américaines ». Avec le fric, il s'achetait de fabuleux pantalons de cuir dans le genre *Easy Rider*, dégotés dans une friperie de Truel. Devenu informaticien dans une boîte de la zone industrielle sur la nationale, il n'avait jamais quitté Froncy. Selon Pierre, pour complaire à la fille du quincaillier, qu'il avait épousée.

— Elle l'a poussé à acheter la maison du Doc à sa mort. Un emprunt sur trente ans !

— Le Doc a cassé sa pipe ?

— Il y a cinq ans. Le cœur. J'avais oublié de te le dire.

J'allais me lancer dans un éloge funèbre du Doc quand Pierre a quitté la nationale et s'est engagé sur la route des Sept-Tournants. J'ai défait ma ceinture, me suis rehaussé sur le siège, fixant l'horizon – vingt et un ans que je n'étais pas revenu à Froncy, je l'avais seulement regardée de haut en avion, et elle méritait mieux. De loin, elle avait gardé ses contours séculaires, enclavée entre bois et champs, mais à mesure que nous en approchions, sa périphérie s'effrangeait, écharpée par des lotissements de pavillons sinistres, aux façades en crépi beige ou gris, qui semblaient posés au sol plutôt que pourvus de véritables fondations.

Heureusement restaient des demeures légendaires, comme celle acquise par Michel au décès du Dr Baudy, alias le Doc, l'énorme et tabagique médecin de famille de Froncy. Mômes à vacciner, angineux, coquelucheux, rougeoleux, constipés, chiasseux, tordus de la cheville ou coupés du doigt, nous avions tous défilé dans son cabinet lambrissé empestant le phénol, au premier des trois étages de sa villa en meulière rococo. Tous, nous avions un jour demandé à nos mères ce que voulait dire le numéro « 1912 » gravé au sommet du perron frisé de céramique rose pâle. La date de naissance de la maison. Elle avait fière et immortelle allure, bien soignée par le Doc.

Désormais plus que centenaire, la bâtisse semblait guetter les invités derrière ses œils-de-bœuf. J'ai sauté de la voiture, regardé le ciel. Haut, lumineux, le soleil brillait dans la grande tradition froncyenne, tempérée, caressante. Des rires et des éclats de voix s'échappaient de derrière la villa.

— Jérôme, Éric et Laurent devraient être là, m'a soufflé Pierre en ouvrant la grille.

Qu'étaient devenus ces copains qui m'appelaient de la rue pour aller faire un foot au stade du Donjon et plus tard un flipper au café de la Chêneraie ou un cross à moto dans les raidillons du Bois Murat ?

À l'entrée du grand jardin, Michel nous a accueillis d'une bise. On ne se faisait jamais la bise entre garçons à Froncy au siècle dernier. Et l'aîné de Pierre ne portait plus de pantalon de cuir *Easy Rider*, un vulgaire chino comprimait son ventre pointu. Des effluves de punchs et de mojitos se mêlaient au parfum des lilas. Devant un chapiteau blanc, une quarantaine de convives plus ou moins chamarrés bavardaient et s'esclaffaient, un verre à la main. Le fils du voisin, Lantieri ? Cordelle, l'ancien mécano de mon père ? Anaïs Blum, la fille de la fleuriste millionnaire au Loto ? La mère Thomassin, la buraliste aux gros seins ?

Les copains de la bande, vingt ans après, je les ai identifiés tout de suite ou presque. À la voix pour Jérôme, quand il m'a hélé, un bol de guacamole à la main, toujours malingre,

« épais comme un casse-croûte de chômeur », toujours élégant, en complet noir, chemise blanche et cravate vert d'eau. Du doigt, il m'a montré Laurent, les traits cachés sous une barbe sculptée, mais trahi par sa fameuse cicatrice en forme de swastika au-dessus du sourcil, signe si particulier qu'il figurait sur sa carte d'identité à seize ans. Sa pilosité artistique contrastait avec le crâne lisse et bronzé de son interlocuteur. Le chauve en chemise hawaïenne a fini par se retourner. Éric, sans ses épis blonds.

— Tu ressembles à Zidane, ai-je plaisanté au souvenir de ses fameux coups francs.

— Tu sais, maintenant, je suis plutôt rugby.

Ses parents avaient vendu leur hôtel à Froncy mais y habitaient toujours. Lui, comme les autres, avait quitté la ville sans sortir du département. Il tenait un « néo-bistrot » à Truel avec son épouse. C'était la belle vie, tous deux rentraient de vacances aux Seychelles, ils avaient un garçon et une fille, qui passaient la journée chez leurs grands-parents, et ils attendaient un autre fils pour l'automne. L'annonce avait réveillé la fibre paternelle de Jérôme qui regrettait l'absence de sa fille de douze ans, dont son ex-femme avait la garde ce jour-là.

— Dommage, elle aurait eu de la compagnie créole, avait lancé Laurent en soulevant ses jumeaux métis à bout de bras, comme des haltères.

Les gamins avaient pirouetté et foncé vers le buffet et l'orangeade que leur tendait leur mère, une Antillaise en robe de soie florale, portant une coiffe en madras à trois bouts, comme j'en voyais parfois sur la tête des hôtesses en civil à l'aéroport international Martinique-Aimé-Césaire.

— Alors Sam, il paraît que tu passes ton temps à t'envoyer en l'air ?

J'avais souri, moins à la fine boutade de Laurent qu'au rappel de ce prénom. Pierre m'appelait Pierre depuis qu'on s'était retrouvés à Paris, mais pour les vieux copains, à Froncy, j'étais Sam, je serais toujours Sam. C'est ainsi qu'Éric m'avait présenté à son épouse, blondeur platinée et bronzage seychellois, enrobée par la maternité, dont je n'avais pas saisi le prénom à cause d'un épouvantable effet Larsen sorti d'un amplificateur : micro en main, Isabelle lançait le barbecue, les brûleurs à charbon n'attendaient plus que nous pour faire un sort aux viandes, saucisses et brochettes, assorties d'une dizaine de sauces et de trois vins « naturels » différents.

Comme un seul homme, l'ancienne bande du stade du Donjon et du café de la Chêneraie avait investi la même table sous le chapiteau blanc. La belle Antillaise, ses jumeaux et la femme d'Éric avaient pris place à l'autre bout de la tente, en compagnie de Michel et d'Isabelle, soulagés eux aussi d'éviter nos souvenirs d'anciens combattants du petit bonheur.

— Vous vous rappelez le jour où Jérôme a plongé dans les douves du château ?

— Et celui où Pierre a perdu son short devant les filles en cours de gym...

— Qu'est devenu Milouze, le gros plouc boiteux qui promenait son clébard dans un caddie ?

— Il est mort, le mongol. Lymphome.

— Comment s'appelait la prof d'anglais en quatrième ? Blonde, lèvres charnues, jupe de flanelle grise, sexy...

— Madame Semaine. Elle nous passait du Genesis sur son radio-CD.

— *Blood on the Rooftops*. Album *Wind and Wutherings*.

— Quel accent, Sam !

— Le type rougeaud là-bas, à côté de la femme d'Éric, c'est bien Fourcade, le patron de la maison de la presse ?

— Oui. Il a pris un sacré coup de vieux. On dirait qu'il fait la gueule.

— Il nous a repérés. Tout à l'heure, on lui remboursera les *Playboy* piqués dans sa boutique.

— Tu te rappelles, Sam, le petit avion qui s'était écrasé sur le toit des Joly dans la résidence américaine ?

— Un Cessna 152. Moteur Lycoming. Hélices McCauley.

— Et le jour où tu as failli te battre avec Éric parce qu'il refusait d'aller chercher ta balle dans le parc ?

Je nous observais, je nous écoutais évoquer ces moments remontant à vingt, vingt-cinq ans. J'étais content de revoir ces copains, de deviser avec eux autour d'une si bonne table, dans un lieu si pittoresque, l'ancienne folie Art nouveau du Doc, figure tutélaire de Froncy. Dans ces conditions, qui n'aurait pas été heureux, ému, curieux, de retrouver les complices d'une jeunesse idéale passée à apprendre et à jouer ? Au présent, c'était indéniablement une singulière, une inoubliable journée. Mais du point de vue du passé, de la défense et de l'illustration du passé, de la précision des réminiscences, de la qualité des souvenirs que nous échangions, il eût été préférable de ne pas se voir. Nos visages, nos corps autour de la table étaient de trop. Ces traits *changés*, ces silhouettes épaissies parasitaient, brouillaient la mémoire que j'avais de ces copains à l'époque du collège ou du lycée, comme si les êtres vivant à l'intérieur de mon souvenir hésitaient à se montrer en présence de ceux qu'ils étaient devenus. Nombre d'épisodes évoqués par les membres de la bande me restaient vagues, abstraits, douteux ; j'en étais réduit à les imaginer ou à les deviner pour participer à la conversation et recharger la pompe aux anecdotes. À de rares moments cependant, l'inverse se produisait, une scène du passé surgissait si nettement, imposait avec tant de force et d'évidence nos figures, nos allures d'alors, que celles d'aujourd'hui en paraissaient irréelles, incroyables.

Je ne devais pas être le seul à ressentir ce hiatus. Parfois la conversation chutait, un silence plombait la table. Les vieux copains de Froncy se dévisageaient, sceptiques, désemparés, inquiets. Était-ce bien nous qui avions proféré ces paroles, agi de la sorte, participé à tel événement ? Visages présents et souvenirs lointains s'invalidaient, se soupçonnaient mutuellement.

Par ailleurs, des points de désaccord subsistaient, notamment sur la question de savoir lequel d'entre nous, en seconde ou en première, conviait la bande à feuilleter de vieilles revues pornos que ses parents planquaient dans leur buanderie. Nous nous rappelions tous ces consultations surchauffées, mais pour Éric elles se déroulaient chez Laurent, quand Laurent prétendait l'inverse, ce que l'autre niait farouchement. Pour ma part, j'étais incapable de trancher. Nous en discutions encore quand Éric nous a demandé de la fermer, sa femme s'approchait pour nous prendre en photo. J'ai sorti mon téléphone comme si je recevais un appel et quitté la table pour m'éloigner dans le jardin. Des photos de ces retrouvailles, quel intérêt ? Pourquoi ajouter un moment à tant d'autres qui nous échappaient ? Qui regarderait un jour ces photos, dans quel dessein, pour y prendre quel plaisir ? À l'exception de Pierre avec qui j'avais noué de nouveaux rapports, je ne tenais pas à revoir ces anciens copains, ni à savoir ce qu'ils deviendraient. J'avais déjà oublié les professions de Jérôme et Laurent.

Au fromage, faute de munitions mnésiques, la conversation de la bande avait dévié sur des sujets d'actualité. J'allais répondre à une remarque de Laurent sur le danger terroriste en avion quand Isabelle avait annoncé au micro l'arrivée du gâteau. Il la suivait de près, couvert d'un drap blanc et posé sur une table à roulettes poussée par le vieux pâtissier Devoldère. Une somptueuse charlotte aux poires festonnée de bougies. Michel avait tenu à les compter à haute voix en les allumant.

J'avais attendu la fin du *Happy Birthday* pour quitter ma chaise une nouvelle fois. Passé la grille de la villa, j'avais pris la direction du Bois Murat.

Le flanc nord du Bois Murat avait reculé devant un lotissement de pavillons plus prétentieux que ceux de la route des Sept-Tournants. Ici prévalait le style « maisons d'architecte », avec piscine obligatoire et tuiles photovoltaïques si affinités. Aux nouveaux Froncyens, invisibles, sans doute confinés dans leurs habitations, des panneaux rappelaient à chaque angle de rue la direction de la mairie, de la poste, du château, du marché. Des endroits où nous nous rendions enfants les yeux fermés.

Dans l'avenue des Peupliers, on avait déraciné ces arbres dont le miroitement des feuilles occupait nos rêveries pendant les heures de colle. À l'époque, ils n'avaient pas cinquante ans et pouvaient encore espérer en vivre cent. Comment expliquer cette hécatombe ? Champignons lignivores, tempête, menace pour les voitures ? Ces foutues bagnoles dont la vitesse, rappelaient quantité de panneaux, ne devait pas excéder 30 kilomètres-heure. Aucun danger avec les ralentisseurs en dos-d'âne. Voilà aussi pourquoi j'aimais tant l'avion : dans le ciel, rien pour faire obstacle. Planté au centre d'un rond-point, un écran à cristaux liquides donnait l'heure et la température sous abri. Des données que nous devinions naturellement à l'époque des foots au stade du Donjon.

Le lycée, toujours aussi blanc, cubique, clinique. Inchangé au point que le présent validait et annulait son souvenir au même instant. En face, un portail en acier placardé d'un permis de démolir avait remplacé la grille du vieux collège. L'interdiction de pénétrer sur le chantier était redoublée par l'œil d'une caméra de surveillance fixée au sommet d'un mât métallique. Mais qui voulait mesurer l'ampleur des travaux pouvait s'en faire une idée en regardant par un large espace à la jointure du portail. Décapités de leur toit en ardoise, des bâtiments en « U » du vénérable collège ne subsistaient que des pans de façade en pierre jaune, aux croisées murées par des parpaings. Au niveau du sol, entre les deux ailes de l'établissement, la cour de récréation avait glissé dans un énorme gouffre aux parois sableuses. Massée au bord du trou qui paraissait sans fond, une armada de bennes débordaient de vieux pupitres, de tableaux noirs démantibulés, de rouleaux de cartes Vidal-Lablache, de cartons d'archives, mêlés à des gravats, des cornières, des lavabos, des urinoirs.

Tout à l'heure, sous le chapiteau chez Michel, les visages et les silhouettes *changés* des copains chevauchaient et brouillaient mes souvenirs de leur jeunesse. Ici, devant ce portail, le spectacle de la dévastation du collège excitait, affinait, renforçait la mémoire de son ancien décor, par un effet de contraste, de fidélité, d'ironie. C'est parce que les copains n'avaient pas tant changé, et qu'ils gardaient encore des airs d'enfance ou d'adolescence, que mes souvenirs d'eux avaient du mal à prendre forme, à s'émanciper du présent. Et c'est parce qu'il ne restait que le squelette du collège, que le souvenir du corps du bâtiment, de ses chairs vives bruissantes de rumeurs et de rires, me revenait si clairement, si précisément, comme pour se venger de l'effroyable réalité.

Je tenais à revoir mon ancienne maison, celle de mes parents, avec le garage de mon père, que j'imaginais repeints, rénovés, à l'instar des maisons de cette interminable avenue de Senlisse. Cette large voie ressemblait toujours à une piste d'aéroport. Sa rectitude, ses lignes de fuite, sa boutique de maquettes, désormais murée et taguée par des émules de Banksy, avaient sans doute décidé de ma vocation. Craquelé, excavé par les bonds d'une génération de joueuses de corde à sauter, le trottoir n'avait pas été refait, j'y retrouvais les trous où l'on jouait aux billes et la grille d'égout par laquelle on repêchait des pièces de monnaie avec un aimant attaché à une ficelle. En cet après-midi du premier samedi de l'été, aucun gamin ne jouait dans la rue la plus longue de la ville. L'anomalie confirmait une impression générale. Froncy, que j'avais connue si animée aux beaux jours, semblait s'être vidée de ses habitants, alors même que son périmètre s'était étendu.

Soudain, à une centaine de mètres, j'ai cru reconnaître la silhouette de Milouze. Oui, c'était bien celui qu'on surnommait « le gros plouc », à cent mètres, à vingt ans de distance, avec son pas lent et claudicant d'obèse, son orbe de cheveux crépus jaune paille, poussant son éternel chariot animalier. Laurent s'était trompé ou avait menti (mais pourquoi aurait-il menti ?), Milouze n'était pas mort d'un cancer, il s'avançait vers moi, on allait forcément se croiser. J'étais content qu'il soit en vie, qu'il perdure dans son être si déficient de Milouze, mais pas au point de le saluer, de lui demander des nouvelles et le nom du chien qu'il trimballait dans sa carriole. J'ai rebroussé chemin en direction des résidences américaines.

Mêmes portes de garage blanches, mêmes façades en briquettes, mêmes volets laqués aux couleurs vives, mêmes massifs de fleurs et de lauriers, la cité américaine avait traversé le temps sous la protection d'un cahier des charges prohibant tout aménagement de décor aux résidents. Manquaient seulement le grondement et l'odeur d'essence des tondeuses à gazon, remplacées par des modèles électriques sur coussins d'air.

C'était la fin juin, l'entrée dans l'été qui me ravissait tant, gamin, quand la lumière semblait monter du sol et nous enrobait, les copains et moi. Ce sas enchanté entre les derniers conseils de classe et les départs en vacances, j'en retrouvais aujourd'hui les échos dans les *wheelings* rieurs de ces garçons en *mountain bikes*. Dans le quartier américain, Froncy redevenait Froncy : des enfants, des adolescents occupaient les rues. Ce qui occupait leurs pensées m'était en revanche complètement étranger. À mon bonjour débonnaire, une petite bande qui m'en rappelait une autre m'avait répondu par des regards méfiants, outragés ou narquois, avant de s'éloigner en ricanant. Ces garçons semblaient plus anxieux, plus sexués, plus corrompus que nous ne l'étions à leur âge. Ils suaient aussi davantage, peut-être à cause de leurs casquettes ou de cette moiteur acide qui tombait parfois sur le secteur et viciait les senteurs des jardins. Probablement un effet du réchauffement climatique. En tout cas, un phénomène nouveau dans une ville où je n'avais connu que des étés cristallins.

Une main courante entourait désormais le stade du Donjon, l'ancien théâtre de nos foots.

On avait bouché ses trous de taupes, remplumé son gazon, reblanchi les lignes, accroché des filets neufs aux montants des buts – une étiquette les certifiait sans danger. Tout pour le bonheur des deux équipes de pupilles qui tapaient dans le ballon – même bruit sourd des frappes sur le cuir, mêmes lazzi, mêmes bravos. Une fin d'après-midi pareille à celle-ci, au siècle dernier, le ballon avait volé au-dessus du mur. Éric refusant d'aller le chercher, on s'était un peu frottés tous les deux, comme Jérôme l'avait rappelé tout à l'heure sous le chapiteau chez Michel. Finalement j'étais allé récupérer la balle dans le parc.

La clairière avait conservé son périmètre oblong, ses îlots de fumeterres et de boutons d'or, son bassin toujours vide. Les lieux nous lient aux êtres par le seul fait que ces êtres manquent au décor. Ici, une nuit d'été, une jeune fille s'était endormie sur mon épaule et serrée contre moi, sa peau nacrée comme un coquillage à mon oreille, j'avais écouté son sang, sa mer, trouvé un pays. Un peu plus tôt dans la journée, elle m'était apparue comme un être paré d'à peu près tous les charmes, à l'esprit vif, loyal et joyeux.

94

Assis au bord du bassin, je repensais à mon attitude face aux parents la veille et le matin de ce fameux départ pour Lambrac. Au dîner, au lieu de finasser sur le droit au repos des grands-parents, j'aurais dû leur annoncer que j'avais rencontré une nouvelle amie, une fille galloise de mon âge, qu'on s'entendait bien, que je souhaitais rester avec elle jusqu'à son départ, pour progresser en anglais. Cet intérêt soudain pour une langue où j'étais notoirement nul les aurait fait sourire, amadoués, rajeunir peut-être, en rassurant aussi ma mère sur mon taux de testostérone, elle qui retrouvait parfois son accent provençal et son rire de gorge pour me reprocher de ne penser qu'aux maths, au football et aux maquettes d'avions.

Et le lendemain, après m'être enfermé dans ma chambre, au lieu d'inventer un cancer au père d'Éric, j'aurais dû entraîner le mien à l'écart, lui confier « d'homme à homme », comme il aimait à dire, que j'étais tombé amoureux d'une fille, que cette séparation me dévastait, que je m'en remettais à lui pour éviter cette injustice. Me revenaient ce sinistre trajet vers la gare d'Austerlitz et le silence de mon père dans la voiture. Chaque fois que je croisais son regard dans le rétroviseur, il semblait aussi anéanti que moi, chercher les causes de mon « cinéma », les deviner peut-être, sans les formuler, car il n'était plus temps de parler d'amour dans la voiture, j'en avais trop fait, et le peu de fierté qu'il me restait m'interdisait tout aveu, toute reddition – il n'avait jamais reparlé de cet épisode, jamais su que j'en avais longtemps gardé une forme de gêne, de honte. Oui, j'aurais dû parler de Deirdre à mon père. Cet épanchement inouï l'aurait ému, lui qui adorait ma mère et m'avait raconté un jour son « coup de foudre » pour elle dans un café proche de l'atelier où il apprenait la mécanique. « *Elle était assise, seule au fond de la salle, devant un jambon-beurre, un Perrier et ses cours de compta. Impossible de détourner les yeux.* » Une pudeur déplacée, l'orgueil, la bêtise m'avaient privé de rester avec Deirdre à Froncy et d'une occasion de me rapprocher de mon père en lui témoignant mon affection, ma confiance, d'homme à homme.

Et l'été de mes dix-huit ans, quand une fille qui ne pouvait être que Deirdre avait téléphoné à la maison ? Je ne l'avais pas rappelée. Quel con. Certes, elle n'avait pas donné signe de vie pendant quatre ans, j'avais changé, et je sortais avec Charlotte la nageuse ; mais Charlotte ne m'était plus rien depuis longtemps, alors qu'aujourd'hui je pensais terriblement à Deirdre.

Qu'avais-je fait de ma passion pour elle ? Sans doute s'était-elle glissée dans mon goût pour la langue anglaise, logée dans cet accent impeccable qui bluffait les contrôleurs aériens de Heathrow et de Kennedy Airport. C'était peu en regard de ce qu'elle m'avait révélé, cette beauté vivante, impossible à imaginer, à reproduire, trop en brutales nuances, cette beauté vivante qui plaint l'art et qui fait que l'art s'en console comme il peut.

Pendant toutes ces années, je n'avais plus pensé à Deirdre, sans l'oublier pour autant. Et maintenant que j'y pensais, cette pensée n'avait pas le grain ordinaire, filtré, inoffensif, d'un souvenir, encore moins du souvenir d'*un amour de jeunesse*. Cette pensée était toujours aussi neuve, indocile. Ce que j'avais éprouvé pour elle à quatorze ans avait grandi avec moi, épousé mes âges, mes métamorphoses, mes petites morts. Sa langue parlait en moi, et l'amour que je lui avais voué instantanément m'était en quelque sorte passé dans le sang. « *Garde-moi.* » Je l'avais gardée, d'une certaine façon. Cette passion pour elle, je l'avais incorporée, métabolisée, elle me constituait, je n'avais jamais eu besoin de m'en souvenir, pas plus que de cette adresse que je savais *par cœur* depuis vingt-cinq ans. Windy Lane 3, PO, Carlywin, Wales.

Quand je suis sorti du parc, le match était terminé au stade du Donjon. Il était sept heures du soir, cinq heures à celle du soleil. Pierre avait laissé un message sur mon téléphone. Suite à ma « disparition », il rentrait seul en voiture.

J'ai retraversé Froncy en direction de la gare.

Dans le train me ramenant vers Paris, j'ai appelé Pierre.

— Désolé de m'être éclipsé. J'avais besoin de revoir Froncy, de faire un petit pèlerinage.

Le souvenir de mon père... Tu m'excuseras auprès de Michel.

— Ne t'inquiète pas, tu n'as rien raté. Il suffit de revoir certaines personnes pour comprendre pourquoi on ne les voyait plus.

Cinq jours après cette fête d'anniversaire à Froncy, j'amorçais la descente d'un Boeing 787 sur l'isthme du Kingsford-Smith de Sydney, là où les passagers ont l'impression de se poser sur l'eau, dernier ravissement avant le coup de bambou porté par huit heures de décalage horaire. Pour ma part, des millions de kilomètres sur long-courriers m'avaient accoutumé aux effets du *jet lag*. À vrai dire, le décalage le plus pénible, je l'avais subi sur le même fuseau horaire, à l'âge de quatorze ans, quand parti de Froncy après avoir rencontré une jeune Galloise, j'étais arrivé à Lambrac.

À une terrasse de Circular Quay, face aux tuiles blanches de l'opéra de Sydney, je tentais une nouvelle fois de me remémorer le visage de Deirdre vu quelque trois heures un quart de siècle plus tôt. La phrase jetée la nuit de notre séparation dans le Cahier Bleu ne m'étaient d'aucun secours : « Des yeux en amande d'un gris mouillé, des joues de nacre, un flot de mèches auburn. » Ces mots pouvaient s'accorder à mille visages très différents les uns des autres, ils permettaient d'imaginer le sien, mais non de le revoir. Un écrivain l'aurait peint avec davantage de couleur, de précision, mais tout aussi vainement du point de vue de la réalité. Les mots n'étaient pas des miroirs. Les visages étaient indicibles. Au premier regard dans la clairière, celui de Deirdre m'avait ébloui. Une mutinerie de traits, un feu blanc, avais-je pensé, cet après-midi-là. Le lendemain, dans l'autorail de Lambrac, son dessin, ses nuances, sa lumière m'échappaient déjà par moments. Vingt-cinq ans plus tard, ce visage avait passé, était perdu, ne me reviendrait jamais. La seule trace que j'en gardais logeait dans un cœur aveugle.

Si je lui avais demandé une photo, peut-être m'en aurait-elle glissé une dans son unique lettre. L'idée ne m'avait pas effleuré, j'étais certain de la revoir ; et surtout, j'aurais trouvé la requête puérile, minable, trop craint de passer pour un tocard, un mendiant. Pour moi, les photos, on les réservait aux parents, aux vieillards, aux malades, aux nécessiteux, à ceux qui se contentaient d'une pauvre image, arrêtée, misérable.

Une photo de Deirdre à quatorze ans, même l'un de ces affreux Polaroid revenus à la mode dans ces années-là, j'aurais pourtant payé cher ce soir à Sydney pour l'avoir sous les yeux, la détailler, remonter aux sources d'une émotion. Même si je pressentais que je n'aurais pas retrouvé cette émotion, et qu'en m'acharnant à la chercher dans la fixité et la platitude de la photo, je n'aurais abouti qu'à tuer celle qu'avait fait naître en moi son modèle vivant, en liberté. Le lien qui m'attachait à Deirdre depuis toutes ces années s'était noué dans l'absence et l'impossibilité d'une représentation.

Marchant vers l'Holiday Inn des Rocks, me vint une autre réflexion aussi tardive qu'évidente. De ma rencontre avec Deirdre datait mon attirance pour les femmes au teint pâle et aux cheveux cuivrés. Longtemps après, l'hôtesse londonienne Gloria Swinton m'avait paru en représenter un idéal assez achevé pour la demander en mariage. « *Tu es le visage du temps. Tu as sur moi un très fort pouvoir de synthèse, tu m'as rassemblé. Je t'attends depuis si longtemps. Je ferai plus que t'aimer…* »

Je n'avais pas dit n'importe quoi ce soir-là dans cette chambre à Singapour, mais je l'avais dit à n'importe qui – enfin, n'importe qui, ce n'était pas juste ni gentil pour Gloria, dont je comprenais mieux désormais la consternation, l'effarement, la colère, la peine sans doute : elle avait compris bien avant moi que je m'adressais à une autre.

Deirdre, c'était l'histoire derrière Gloria, l'arrière-plan dont je cherchais les contours dans le brouillard, comme je l'avais confié un jour à Bernard devant ses boîtes au Pont-Marie. Gloria avait la peau pâle et des cheveux auburn comme Deirdre, elle parlait la même langue qu'elle, mais son cou n'avait pas ce parfum lacté et ce goût de cassonade qui me revenaient maintenant subitement en passant devant une boulangerie de George Street ouverte la nuit. Proust avait raison, quand rien ne subsistait d'un passé, seules l'odeur et la saveur restaient encore longtemps à porter l'édifice immense du souvenir. Cherchant en vain à me rappeler le visage de Deirdre, j'avais retrouvé, esseulés sur le chemin des réminiscences, l'odeur et le goût de sa peau au moment où je l'avais serrée contre moi dans la clairière. Veloutée, tiède, sucrée, la peau du lait des petits matins courageux.

Au marché aux puces de Rozelle, un faubourg de Sydney, j'avais déniché le pressage australien de *Space Oddity*, rareté bowienne évidemment destinée à Pierre. Ce dernier m'avait invité à le rejoindre début septembre dans sa campagne bretonne. Mirabelle serait là.

En attendant, calé dans un fauteuil, devant la grande baie ouverte sur les arches du Pont-Neuf, je passais la seconde quinzaine d'août en compagnie de Pepe Carvalho, le détective barcelonais, anarchiste et gourmand de Manuel Vázquez Montálban. J'avais découvert cet écrivain catalan avec *La Solitude du manager*, un livre de poche abandonné sur le parapet d'un quai et qui semblait m'attendre. Bernard m'avait vendu quelques autres titres de lui, mais l'occasion seyant mal à ce virtuose prodigue et toujours neuf, j'avais commandé la série complète des Carvalho à un libraire du boulevard Henri-IV. Une crise cardiaque avait foudroyé Montálban à l'aéroport de Bangkok le jour où j'y avais atterri pour la première fois.

En fin de journée, je quittais Pepe et son cuisinier Biscuter pour aller saluer Bernard sur son bout de quai. Assis sur un pliant, la casquette vissée sur le crâne, une glacière à ses pieds, le bouquiniste remplissait ses grilles de mots croisés tout en gardant un œil sur les badauds qui musardaient devant son stand. Les gens farfouillaient dans les boîtes, déballaient les livres, demandaient leur prix, ne les achetaient pas, s'éloignaient sans les ranger. Lui se marrait.

— Je devrais proposer du porno comme les autres... Pilote, ça t'ennuie d'aller ranger les boîtes ? J'en ai marre de me lever.

Sept lettres noires sur une couverture vert pâle m'avaient sauté aux yeux. *Deirdre,* d'un certain James Stephens, traduit de l'anglais en 1947. Cinq euros, c'était donné pour un titre aussi prometteur. Pour la forme j'en ai proposé le double à Bernard, persuadé qu'il refuserait

en vertu de sa devise « ni aumône ni cadeau ».
Il a gardé le billet. Les médicaments l'avaient
altéré.

L'histoire de *Deirdre* appartenait au Cycle de
la Branche rouge, une légende épique irlandaise
qui datait d'avant l'ère chrétienne. Elle com-
mençait mal. L'enfant hurlait déjà dans le ventre
de sa mère. À sa naissance, un druide avait pré-
dit que sa beauté sèmerait le désordre en Ulster.
On l'avait alors prénommée Deirdre ; ce qui
signifiait, je l'ignorais, celle qui apporte le trouble,
le danger. Élevée au secret, on l'avait aussi pro-
mise à Connor, le roi d'Ulster. Les mœurs
étaient barbares. Un jour, on avait tué un veau
sous ses yeux. Le sang de l'animal avait rougi
la neige et attiré un corbeau. Devant ce spectacle, Deirdre avait prophétisé qu'elle aimerait
un homme aux cheveux de la couleur du corbeau, à la peau aussi blanche que la neige et
au teint vermeil comme le sang. Pour son malheur, ce portrait ne ressemblait pas au roi
d'Ulster. Pourchassée par Connor, elle avait
précipité son char dans le vide et s'était rompue
sur des rochers.

Dans la variante de Stephens, Deirdre mourait sur le corps de Naoise, son bien-aimé. Sans que l'auteur ait réussi à formuler sa beauté, à nous la faire partager : « Quand nous essayons de dire ces choses, les mots font faillite. La musique y peut réussir, ou ces allusions telles qu'en ont toujours employées les poètes… » Stephens était loin d'être un poète, mais quand il mentionnait « l'humble écrasement de notre cœur en présence du Beau », il m'éclairait à des années de distance sur ce que j'avais éprouvé la première fois que j'avais vu Deirdre dans la clairière. C'était un tel écrasement qui m'avait contraint à m'asseoir au bord du bassin, le cœur lourd du sentiment de ne pas la mériter. Très vite pourtant, sa simplicité, sa complicité m'avaient convaincu du contraire, d'où l'intense sentiment d'injustice qui m'avait envahi au moment de notre séparation.

Beaucoup de garçons avaient-ils eu le cœur écrasé par la beauté ? Personne dans mon entourage ne m'avait raconté une histoire semblable à la mienne. Cela ne prouvait rien ; de mon côté, je n'en avais jamais parlé non plus.

Suranné, boursouflé, le livre de Stephens n'en ajoutait pas moins une nouvelle page à la présence-absence de Deirdre depuis mon retour à Froncy. Les efforts pour me rappeler son visage avaient rameuté par incidence d'autres images. Mon père en train de pêcher à l'étang de Truel ; mon père dansant avec ma mère à son anniversaire ; mon père ratant un but immanquable un jour qu'il était venu me chercher au stade du Donjon. Des réminiscences doublées d'élans de tendresse dont la course ne trouvait personne. Mon père me manquait. Mais ce manque était tempéré par la froide raison de la mort. Lui, au moins, je savais où le retrouver.

Elle avait sûrement quitté Carlywin comme j'avais quitté Froncy, mais sa famille habitait peut-être encore Windy Lane ou un autre endroit de la ville. Les moteurs de recherche de l'ordinateur ne trouvaient aucune Deirdre Tefoe dans le monde. Et pas plus de Tefoe dans l'annuaire téléphonique de Carlywin.

Pour m'accorder à ma plongée dans le temps, et m'amuser un peu de cette fantasque entreprise, j'avais prévu un voyage dans des conditions vintage. Pas de tunnel sous la Manche, mais le train jusqu'à Dieppe, la traversée en ferry jusqu'à Newhaven, et de nouveau le train pour Londres. Il venait de s'ébranler, dans une heure et demie j'arriverais à Victoria Station. Où était-elle ? Que faisait-elle à cet instant ? Pensait-elle à moi comme je pensais à elle ? Les mêmes questions que dans l'autorail de Lambrac, à vingt-cinq ans de distance.

J'ai pris une chambre au Regent Inn dans Mayfair et dîné au restaurant de l'hôtel. Sans certitude, Pierre m'avait parlé d'un disquaire dans Heddon Street, la ruelle où Bowie posait sous le halo jaune d'une lanterne sur la pochette de *Ziggy Stardust*.

— Môme, j'habitais la rue, j'ai assisté au *shooting* depuis la fenêtre de ma chambre, se rappelait le chef de rang du Regent, les yeux brillants. La pénombre, le trottoir luisant de pluie, et lui, en combinaison lunaire, guitare en bandoulière, devant un tas de cartons...

— Vous oubliez la cabine téléphonique.

— Non, monsieur, elle est au dos de la pochette... C'était une nuit de janvier, il faisait froid. Bowie ne s'est pas attardé, il s'est comme volatilisé... Il n'y a pas de disquaire dans Heddon Street. En mémoire de Ziggy, évitez le coin, il n'y a plus rien à voir.

J'étais quand même allé faire un tour. Le chef de rang avait raison. Plus de lumière jaune, ni de briques victoriennes, ni de cartons poubelles, ni d'enseigne K. West, et bien sûr pas la queue d'un disquaire, dans l'ancien repaire interlope de Ziggy. Que des restaurants clinquants aux terrasses arborées et des clients qui leur ressemblaient. Ravalée, factice, Heddon Street n'avait plus rien de bowien. Mais sa légende livrée au cynisme des marchands alimentait le business : devenue piétonne, la rue avait donné son nom à un modèle de Mini. Je repensais au vieux collège disloqué de Froncy, à la défiguration partielle de la petite ville de mon enfance, à tous ces endroits du monde que j'avais traversés depuis quinze ans. La plupart s'étaient enlaidis. Aucun n'avait embelli.

Le lendemain matin, je montais dans un train à Euston Station, direction Bangor, à la pointe nord du pays de Galles. Dans le wagon, des familles arboraient un pin's ou un tee-shirt à l'effigie de Lady Diana dont on commémorait le jour anniversaire de la mort. Je me suis installé à l'écart avec l'intention de piquer un petit somme et de retrouver mon rêve de la nuit. À peine avais-je fermé les yeux que des insultes ont fusé. Deux fans de Birmingham City, membres des fameux Zulus, m'avaient pris pour un fan d'Aston Villa avec ma chemise bleu ciel et ma veste grenat. Le malentendu dissipé, les gaillards à la coupe de *Peaky Blinders* m'ont longuement tenu la jambe sur le destin de la princesse de Galles, de sa naissance à Sandringham au tunnel de l'Alma. L'un comme l'autre n'en démordaient pas, c'était un complot, on avait assassiné la princesse du peuple, ceux qui l'avaient tuée avaient été liquidés par des types qui eux-mêmes n'en avaient plus pour longtemps, et ce genre de saloperie ne pouvait se produire qu'en France.

— Chez vous, les *Froggies*, la vérité dort toujours sous un tas de cadavres.

À l'approche de Birmingham, le duo m'a salué en entonnant l'hymne de son club favori, *Keep Right on to the End of the Road*.

Le train reparti, une adolescente est venue s'allonger sur la banquette en face de moi, son tote bag bourré à craquer en guise d'oreiller. Avec ses mèches roses sculptées au gel et ses piercings post-punk, elle avait tout de la *runaway girl*. Pars, petite, pars, mais reviens un jour.

Les églises, les bocages, les ruminants des Midlands défilaient derrière la vitre. Eh bien, j'avais mis du temps, mais je m'y rendais, à Carlywin, j'honorais enfin la promesse de la clairière. J'allais retrouver Deirdre ou ses traces.

La plus belle serait celle de ses quatorze ans sur son visage qui en avait aujourd'hui trente-neuf.

Dans *Les Filles du feu,* un homme revenait dans un village du Valois sur les traces d'Adrienne, « mirage de la beauté et de la gloire » ; il apprenait sa mort dans un couvent tout proche quelques années plus tôt. Je n'imaginais pas Deirdre au couvent, mais l'idée de sa mort, un accident ou une maladie, m'avait traversé, même si, statistiquement, il était beaucoup plus probable qu'elle se soit mariée, qu'elle ait des enfants, qu'elle m'ait oublié, et qu'elle me prenne pour un dingue en me voyant débarquer.

À quatorze ans, elle n'avait plus répondu à mes lettres. À dix-huit, je ne l'avais pas rappelée. Pourquoi troubler cette égalité de silence ? Ne soldait-elle pas notre histoire ? N'avais-je pas mieux à faire qu'à m'occuper du passé ? Le présent m'indifférait-il à ce point ? Mais quel présent, au juste ? Au fond, qu'est-ce qui avait changé pendant toutes ces années ? À trente-neuf ans, je n'étais pas plus engagé qu'à quatorze. Célibataire, sans enfant, j'étirais sans fin une adolescence prolongée. C'était aussi le cas de beaucoup de femmes, au pays de Galles ou ailleurs.

L'adolescente endormie en chien de fusil sur la banquette avait réveillé mon rêve de la nuit. J'entrais dans un musée, qui s'avérait être le collège détruit de Deirdre à Carlywin – collège et ville n'apparaissaient qu'en contours dans le rêve, mais je *savais* que j'y étais. Je fouillais les archives du collège en ruine et trouvais la photo de Deirdre à quatorze ans – jeune fille pâle aux cheveux auburn, abstraite, sans traits ou signes particuliers, mais là encore, je *savais* que c'était elle. Plus tard, dans une chambre d'hôtel, j'observais la photo, un vieux cliché Polaroid : à l'image floue, désincarnée, de Deirdre s'était substituée celle, nette et chirurgicale, de Mirabelle, la fiancée de Pierre, nue, offerte, en gros plan. En moi vivait sans doute un homme qui désirait Mirabelle, mais je ne le connaissais pas.

Je me souvenais de notre étreinte si chaste dans la clairière. Deirdre m'émeuvait trop pour que je la désire. Cela viendrait, cela viendrait peut-être. Pour l'instant, qu'est-ce qui justifiait ce voyage vers elle ? Une volonté de puissance ? Violenter et vaincre tout ce temps qui nous séparait ? Non, dans cette affaire, le temps n'était pas notre ennemi, mais plutôt un témoin, un intercesseur, un allié, le troisième personnage de notre histoire. Non, c'était une tout autre chose qui m'animait. Un désir cardinal, le désir des désirs, l'espoir. Ce crédit illimité que j'accordais à la réalité depuis que Deirdre m'était apparue dans la clairière du parc du château de Froncy à quatorze ans. Si la réalité pouvait faire surgir un être comme elle, alors il y avait, il y aurait toujours de l'espoir. J'en avais encore pour mille ans, je marchais toujours à l'horizon de ma mémoire, vers Deirdre et son pays, mon pays, un ciel sur la terre.

Vers midi, j'ai sauté sur le quai de la gare de Bangor. « *Il faut traverser un grand pont de fer au-dessus d'un fleuve de mer.* » La gare se situant sur les hauteurs de la ville, il suffisait de descendre au niveau de la mer par une longue artère appelée Holyhead Road. Ce grand pont de fer, c'était Menai Suspension Bridge, un pont routier long de quatre cents mètres, suspendu à d'énormes chaînes ancrées dans deux tours plantées l'une sur l'île d'Angleterre, l'autre sur celle d'Anglesey. Cet ouvrage martial et grandiose, posé sur des piles à trente mètres au-dessus d'un détroit de la mer d'Irlande, Deirdre avait dû le franchir mille fois, foulé le trottoir que j'empruntais maintenant sous un ciel jaune pâle, protégé du vide et des flots par l'épais parapet en acier.

Au bout du pont, la route à gauche menait à Llanfairpwllgwyngyllgogerychwyrndrobwllllantysiliogogogoch, le nom de ville le plus long du monde, plus long à lire qu'à prononcer pour les autochtones, qui l'abrégeaient charitablement en Llanfair à l'intention des étrangers. À hauteur d'une auberge en pierre blanche, un panneau indiquait Carlywin dans la direction du nord, sans en préciser la distance. Je m'engageai sur cette route en ligne droite, large comme une départementale. Bordée de murets et de fossés fleuris, s'enfonçant parfois sous des voûtes d'arbres, elle surplombait la côte sans la découvrir. Les voitures étaient rares, comme les villas, cachées par des pins ou d'épaisses haies. Du côté des terres s'étendait une vaste lande ébréchée par des ruines entre lesquelles paissaient des moutons. Du côté du détroit, dans les accrocs ménagés par la végétation, se découpaient de temps à autre un carré de mer métallisé, le triangle d'une voile, la tour d'un phare. Je marchais depuis une heure quand j'aperçus les premiers hangars à bateaux, la baie, le panneau. Carlywin.

Voilà, j'y étais, j'y étais dans ce nom que j'avais tant imaginé à quatorze ans. Carlywin. C'est là où Deirdre Tefoe avait vécu, où elle vivait peut-être encore. La « petite station balnéaire » du dictionnaire de mon grand-père échappait à toutes mes représentations adolescentes. Balnéaire, elle l'était, par sa plage, loin d'être bondée sous le ciel gris-jaune, ses hautes maisons blanches, ses boutiques de produits locaux, ses deux hôtels pimpants du front de mer, sa grande roue, pas si grande, son port de plaisance, discret. Mais la sérénité, la civilité de ces lieux ne disaient pas tout de la ville. Dès qu'on quittait l'esplanade du front de mer pour les petites rues adjacentes apparaissaient non des cottages, comme je l'avais imaginé, mais des maisons de pêcheurs aux façades peintes en bleu, jaune, mauve, saumon ou gris, d'où sortaient des enfants hilares et dépenaillés, des conserveries gardées par des géants aussi roux que leurs chiens, des bars sentant la saumure et la bagarre, des ateliers où des hommes en ciré calfataient des coques, une criée où des femmes en fichu remaillaient des filets. Ce théâtre humain et labyrinthique menait à un port de pêche animé et bruyant, invisible, insoupçonnable de la zone de la plage et des hôtels. Ces deux décors n'avaient en commun que la mer, et tout ce que l'on avait construit pour elle, le môle, les digues, la jetée, les phares.

Longtemps avant de les découvrir, j'avais aimé ces lieux qui miroitaient dans les yeux pers de Deirdre. Je ne m'étais pas trompé à quatorze ans, quand j'avais cru trouver mon pays dans son regard et la main qu'elle m'avait donnée. Les paysages et les atmosphères rencontrés depuis la traversée du pont suspendu la rendaient étrangement présente, même si ses traits me restaient cachés.

J'avais cru romanesquement que mes pas me mèneraient directement dans Windy Lane ou que je tomberais sur elle au détour d'une rue. Or je déambulais depuis deux heures, dévisageant chaque passante à la peau laiteuse et aux cheveux auburn qui pouvait avoir son âge aujourd'hui, et ce n'était jamais elle. À l'entrée de la jetée, le plan de la ville ne mentionnait pas Windy Lane, celui placardé près de la grande roue non plus. J'interrogeai un vendeur de hot-dogs dans son camion. Il allait me répondre quand on m'avait tapoté l'épaule.

C'était la pointe d'un parapluie brandi par une dame grisonnante, en gabardine rose sale, à l'air émouvant et perdu.

— Mon parapluie me dit que vous pouvez chercher longtemps, jeune homme ! Windy Lane n'existe plus. Ils ont construit un gymnase et un golf à la place.

Je n'avais repéré aucune installation de ce genre dans mes pérégrinations.

— Est-ce loin d'ici, madame ?

La vieille au parapluie avait déjà tourné les talons.

— Un kilomètre au nord par la route littorale, a précisé le vendeur.

Affamé par ma longue marche depuis Bangor, j'ai englouti un pain de saucisses et un soda avant de piquer au nord.

Ces vieux pavés affleurant sous la réglisse du bitume, c'était sans doute tout ce qui restait de Windy Lane. Le long de cette voie en cul-de-sac, perpendiculaire à la route littorale, se trouvaient en effet le parcours fleuri mais vide d'un golf miniature, et plus loin, la masse grise d'un gymnase, d'une laideur commune à ce genre de construction, fermé pour cause de vacances. Par moments, des bourrasques de vent s'engouffraient dans les tôles du bâtiment en gémissant comme des bêtes à l'agonie. Aux alentours, les troncs des arbres s'écaillaient en copeaux noirâtres, fuligineux. Le lieu paraissait souffrir ou se reposer, veillé par un escadron de mouettes dans le ciel d'étain. Au loin glissait une forêt de voiles, une régate. Entre le gymnase et ce qui ressemblait à une plage de galet, s'étendait un parking désert, au fond duquel se trouvait une baraque à la peinture minium défraîchie, prolongée d'une terrasse en plancher.

À l'intérieur, devant des rangées de friandises, un homme d'une soixantaine d'années à la tignasse grise, un tablier blanc passé sur une grosse chemise à carreaux, récurait un moule à gaufres.

Elle aimait les gaufres.

— Je vous ai vu rôder là-bas. Vous cherchez quelque chose ? m'a demandé le marchand sans lever les yeux de sa spatule.

— Ce qu'il reste de Windy Lane.

— Rien depuis l'incendie du Manoir, il y a dix ans. Par chance, aucune victime. À part les bêtes dans l'étable. On les entendait hurler à une lieue à la ronde.

L'homme est sorti de la baraque et s'est planté sur le plancher, les mains sur les hanches, le regard perdu en direction du golf et du gymnase.

— C'était le bon temps, Le Manoir. L'âge d'or, en quelque sorte. Ce foutu parking n'existait pas. C'était du sable, ici.

— Où ont déménagé les habitants de Windy Lane ?

— Il n'y avait que Le Manoir dans Windy Lane. Au 1, c'était les communs. Au 3, le bâtiment principal, le foyer de jeunes filles tenu par les sœurs anglicanes.

J'ai perçu un cliquetis dans mon oreille interne.

— Deirdre Tefoe, ce nom vous dit quelque chose ?

Le marchand a pivoté et m'a fixé de ses yeux vairons.

— Qu'est-ce que vous lui voulez à Deirdre Tefoe ?

Je ne m'étais jamais posé la question.

— Je l'ai rencontrée en France, il y a longtemps. Nous avions quatorze ans. Elle participait à un séjour linguistique avec sa classe. Je ne l'ai jamais revue.

L'homme semblait intrigué et soulagé à la fois.

— Vous êtes français ?

— Oui.

— Ça ne s'entend pas… Les filles du foyer partaient parfois en classe de langues à l'étranger. Ça leur faisait des vacances ! Parce qu'au Manoir, les sœurs ne rigolaient pas. Dîner à

125

sept heures. Extinction des feux à dix heures. Courrier et téléphone surveillés.

Nouveau déclic dans l'oreille interne. La différence d'écriture entre le papier où elle avait laissé son adresse et la lettre reçue à Lambrac. Deirdre n'avait jamais eu les miennes, les sœurs les avaient interceptées. Émue par mes cartes, l'une d'elles m'avait répondu en signant Deirdre, une lettre gentille, mais assez laconique pour refroidir mes ardeurs. J'en avais maintenant l'intime conviction.

L'homme continuait à me dévisager.

— Vous dites que vous avez rencontré Deirdre en France à quatorze ans ?

— À Froncy, précisément. Une petite ville à cinquante kilomètres de Paris.

Il m'a montré un siège sur la terrasse en plancher.

— Asseyez-vous. Personne ne viendra plus aujourd'hui. Ils suivent tous la régate de la jetée de Kelly.

Il est rentré dans la baraque, en est ressorti avec une bouteille de ce qu'il m'a présenté comme un whisky maison. Le breuvage mordoré a plongé dans les verres.

Je retenais mes questions, de peur de brouiller la longueur d'onde qui s'était établie entre nous. Depuis le début, le marchand de gaufres semblait vouloir mener la conversation à sa guise, décider de ce qu'il dirait et de ce je pourrais entendre.

— Les dimanches, la discipline se relâchait au Manoir. Les grandes emmenaient les petites se promener au château ou à la plage près de la grande roue. Tout ce joli monde rentrait pour le goûter. Et je les attendais au réfectoire avec un gros sac de gaufres tièdes. Du plus loin que je me souvienne, Deirdre a toujours raffolé des gaufres.

— Vous l'avez connue à quel âge ?

Il a humé son verre avant d'en vider la moitié en fermant les yeux.

— Trois ans. À son arrivée au Manoir.

Il a sorti une boîte de cigarillos de sa poche, m'en a proposé un, que j'ai refusé, craignant un mélange détonnant avec son eau-de-vie. Il a poursuivi dans un nuage de fumée.

— On l'avait retirée à sa mère, une femme gentille, mais trop simple d'esprit, le genre à parler à un parapluie. Quant au père, un courant d'air… Ça ressemble à du Dickens, mais Deirdre n'était pas fille à s'apitoyer sur son sort. Et si la discipline était sévère au Manoir, ce n'était pas un bagne. Les filles n'y manquaient de rien.

Je revoyais sa silhouette à la tombée du jour dans la clairière, assise à m'attendre sur la pierre du bassin, droite, patiente, loyale, confiante. Me revenait l'impression de force et de vulnérabilité qu'elle dégageait à ce moment-là et à l'instant de nous séparer dans la clairière. « *Garde-moi.* » Elle ne m'avait rien dit de sa vie, elle avait souri dans la nuit. « *Ce n'est pas mon dernier sourire. Écris-moi.* » Elle n'avait pas reçu mes lettres. Mon regard tentait de s'accrocher aux voiles qui oscillaient au loin. Mes yeux brûlaient, je pleurais. J'exerçais enfin cette faculté. Je l'avais retrouvée à Carlywin, au bout de ce voyage. Comme disait Bardamu, c'est peut-être ça qu'on cherche à travers la vie, rien que cela, le plus grand chagrin possible pour devenir soi-même avant de mourir.

— Ça ne va pas ? m'a demandé le marchand.

J'ai mis les larmes sur le compte de l'âpreté du whisky. Et il a repris l'histoire que j'étais venu écouter.

— À dix-huit ans, à sa sortie du Manoir, Deirdre est venue vivre chez moi à Carlywin. N'allez rien imaginer, je la considérais comme ma fille, je l'hébergeais simplement. Cet été-là, elle m'a aidé à tenir la baraque à gaufres. Elle servait les touristes, là où vous êtes attablé.

J'ai regardé le plancher aux lattes disjointes, les chaises, les tables qui ne dataient pas d'hier, ces verres pleins de cette gnôle d'enfer, pendant qu'il continuait.

— Certains clients ne venaient que pour elle. Sa chevelure flamboyait ! Et cette peau si blanche, cette *milk skin* ! Jamais rien vu de tel.

Je me suis senti sourire.

— Je vous préfère cette tête, monsieur ! s'est-il exclamé. Mon idée, c'était d'ouvrir une confiserie à Carlywin, face au front de mer, et qu'on travaille ensemble, elle et moi. Mais à la fin juillet, elle m'a annoncé qu'elle partait en France avec l'argent qu'elle avait gagné. Comme ça, sans me donner de raisons. Comme s'il y en avait mille, de raisons…

Le coup de fil de la fille à l'accent anglais. L'administration du Manoir lui avait peut-être remis mes lettres, des années après. De nouveau j'ai senti ma gorge se serrer, les larmes affluer. J'ai vidé mon verre pour me brûler les yeux et donner le change.

— Ça fait du bien, non ? m'a demandé l'homme en souriant bizarrement.

Il s'est levé en écrasant son cigarillo dans le cendrier.

— Elle n'est jamais revenue ici. D'une certaine façon, je la comprends.

Il est rentré dans la baraque et a bientôt réapparu avec une photo aux dimensions d'une carte postale qu'il a posée entre les verres.

— Elle me l'a envoyée il y a deux mois.

Sous un chapiteau blanc, autour d'une table d'agapes, j'ai reconnu Pierre, Jérôme, Laurent, Éric et sa femme, à la fête d'anniversaire de Michel à Froncy. Mais je n'ai pas reconnu Deirdre en la femme d'Éric, blonde, bronzée, enceinte. Éric m'avait présenté à elle sous le prénom de Sam. Je n'avais pas entendu le sien à cause du micro qui s'était mis à siffler. Nous n'avions pas échangé un mot. Nous n'avions pas déjeuné à la même table. Quand elle s'était approchée de notre groupe pour prendre une photo, je m'étais éloigné. Et j'avais quitté prématurément les réjouissances pour aller revoir Froncy.

À côté de moi, le marchand de gaufres avait chaussé ses lunettes et regardait la photo.

— Elle a changé, la petite Deirdre. Trop bronzée… Mais ce blond lui va bien. La maternité aussi. Regardez ce qu'elle a écrit derrière.

Au dos de la photo, on pouvait lire : « *It's a boy ! I'll call him Michael ! Lots of love, Deirdre.* » Il m'a semblé revoir les mêmes jambages que sur le papier où elle m'avait écrit son adresse.

— Michael, c'est moi, a précisé l'homme.

J'avais compris. Lui semblait comprendre autre chose en examinant de plus près la photo. Mais quoi, le savait-il lui-même ? C'était fugace, évanescent, comme je l'étais sur la photo. En observant bien, si l'on avait quelque raison de le faire, on pouvait me reconnaître au bord du cadre, de profil, en train de téléphoner sur la pelouse de l'ancienne villa du Doc, de faire semblant de téléphoner. Je renonçais à raconter toute l'histoire au marchand de gaufres. Il en avait compris assez pour se montrer plus familier.

— Tu en reprendras bien une goutte, mon gars ?

Je me suis levé.

— Non, merci Michael. Il y a un train en fin de journée pour Londres. Et la route est longue jusqu'au pont de Menai.

Il s'est levé à son tour.

— Je te raccompagne à Bangor en camionnette.

— Je préfère marcher.

Je lui ai tendu une main, qu'il a serrée.

Il m'a escorté jusqu'à la route littorale.

— À mi-chemin entre Carlywin et le pont suspendu, oblique vers la lande. Tu verras le château. Ça vaut le détour.

Le marchand de gaufres ne m'a pas tout raconté, il comptait m'en dire davantage en m'accompagnant à la gare, voilà ce que je pensais, marchant sur la route entre Carlywin et le pont suspendu. Mais j'en savais assez, assez pour ignorer ce que j'allais faire de ce savoir.

Avant d'obliquer vers la lande, j'ai sorti mon téléphone, appelé Pierre dans sa campagne bretonne.

— Quel est le prénom de la femme d'Éric Deschamps ?

— Deirdre… Elle est galloise, je crois.

— Où Éric l'a-t-il rencontrée ?

— À Froncy, l'été du bac, d'après ce qu'il m'a raconté chez Michel. Elle était descendue à l'hôtel de ses parents… Pourquoi ?

— Elle s'est renseignée sur moi ?

— Pas que je sache… Allez, arrête tes conneries. Et dis-moi plutôt quand tu arrives.

J'ai raccroché.

Devant moi, au milieu de la lande, se dressait l'enceinte d'un château médiéval. La courtine reliait quatre tours assez basses. L'ensemble semblait inachevé, mais on pouvait accéder au chemin de ronde, peut-être même aux meurtrières. Ma montre indiquait cinq heures de l'après-midi, trois heures au fin soleil gallois. J'avais le temps d'y aller voir. Les vastes douves étaient comblées, tapissées de fleurs et d'herbes folles. Deirdre me l'avait dit. C'était l'une des choses qu'elle m'avait dites il y a longtemps. Près de l'entrée du corps de garde, assise sur le parapet, une jeune femme lisait un livre. Je me suis approché.

Crédits

P. 104 Marcel Proust : « Mais, quand d'un passé ancien rien ne subsiste, après la mort des êtres, après la destruction des choses, seules, plus frêles mais plus vivaces, plus immatérielles, plus persistantes, plus fidèles, l'odeur et la saveur restent encore longtemps, comme des âmes, à se rappeler, à attendre, à espérer, sur la ruine de tout le reste, à porter sans fléchir, sur leur gouttelette presque impalpable, l'édifice immense du souvenir. » *Du côté de chez Swann*, Grasset, 1913.

P. 108 James Stephens, *Deirdre*, traduit de l'anglais par Abel et Marguerite Chevalley, Stock, Delamain, et Boutelleau, 1947.

P. 128 Louis-Ferdinand Céline : « C'est peut-être ça qu'on cherche à travers la vie, rien que cela, le plus grand chagrin possible pour devenir soi-même avant de mourir. » *Voyage au bout de la nuit*, Gallimard, 1932.

NORD COMPO
m u l t i m é d i a

Composition et mise en pages
Nord Compo à Villeneuve-d'Ascq

CET OUVRAGE
A ÉTÉ ACHEVÉ D'IMPRIMER
SUR ROTO-PAGE
PAR L'IMPRIMERIE FLOCH
À MAYENNE EN DÉCEMBRE 2019

N° d'édition : L.01ELJN000922.N001. N° d'impression : 95361
Dépôt légal : janvier 2020
(Imprimé en France)